대한민국 교육인적자원부

한국어 2

한국교육과정평가원
국제교육진흥원

차 례

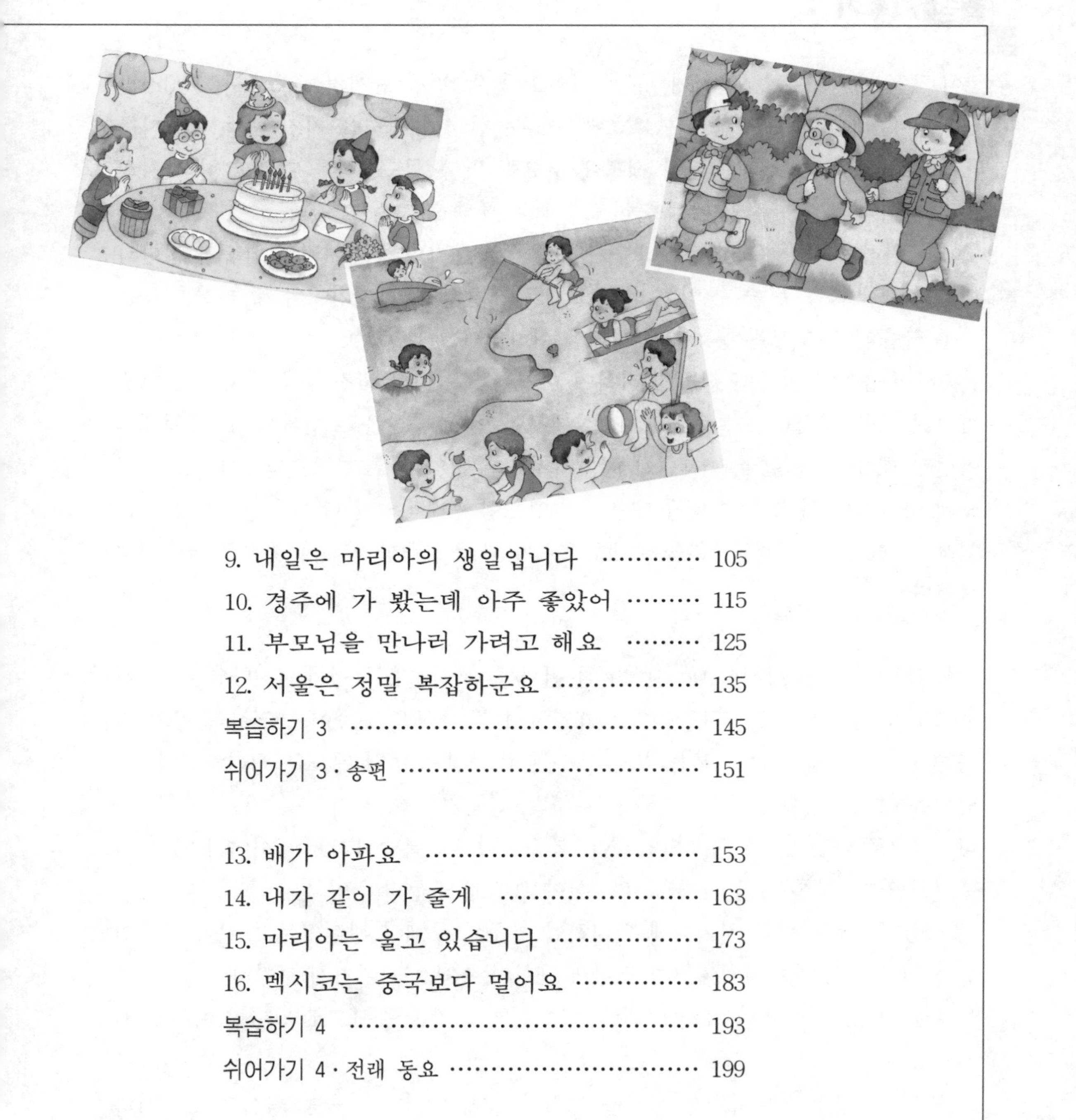

일러두기

이 책은 재외동포용『한국어』교재 시리즈 중 두 번째 단계의 책으로서, 100시간 정도의 한국어 교육을 받았거나 그에 준하는 한국어 능력을 가진 아동 학습자를 대상으로 하여, 기초적인 일상 생활에 필요한 의사소통 능력을 기르고 한국 사회와 문화에 대해 기본적인 이해를 하도록 하는 데 목표를 두고 있다.

이를 위하여 이 책은 한국어 교수가 이루어지는 다양한 언어권의 학습자 집단과 학습 환경에서 두루 쓸 수 있는 범용 교재로 개발되었으며, 언어의 네 가지 기능을 고루 학습할 수 있도록 통합교재 형식을 취하였다.

특히 학습자가 아동인 점을 고려하여 다양한 그림이나 사진 등을 사용하여 학습자의 동기를 자극하고자 하였으며, 실제적인 언어 상황을 도입하여 고립 형태가 아닌 문맥을 통한 한국어 학습이 이루어지도록 하였다. 또한 문법과 어휘를 난이도에 따라 배열하고 선수 학습 내용을 자연스럽게 반복하여 학습의 강화를 도모하였으며, 기초적인 한국 문화를 소개함으로써 한국에 대한 이해와 흥미를 높이려고 하였다.

총 단원 수는 16개이며 네 과마다 한 번씩 복습 단원을 두었다. 한 단원은 5시간용으로서 전체 90~100시간용으로 개발하였다. 초급용 교재이므로 한 문장의 길이는 8어절을 넘지 않고 본문의 문장 수는 10문장을 넘지 않도록 배려하였다. 각 단원은《도입》,《학습 목표》,《본문》,《문법》,《듣기》,《말하기》,《읽기》,《쓰기》그리고《새로 나온 말》로 구성되었으며, 복습 단원은《복습하기》와《쉬어가기》로 이루어져 있다. 부록은《듣기 자료》와《찾아보기》로 구성되어 있다.

《도입》은 각 단원의 첫머리에 위치하며 본문의 주제와 관련있는 그림이나 사진 등을 질문과 함께 제시하여 자연스럽게 단원의 주제로 이어지게 하였다.

《학습 목표》는 각 단원에서 익혀야 할 기능과 문법을 중심으로 간단한 어구로 제시하였다.

《본문》은 기초적 의사소통 상황을 그림과 함께 대화나 서술문 형식으로 제시하였다.

《문법》은 목표 문법을 먼저 간단한 예시문을 통해 제시하고 의사소통적으로 문법 연습을 할 수 있도록 구성하였다.

《듣기》는《학습 목표》와 관련된《듣기 자료》(부록)를 교사가 읽고 학생들의 이해를 점검하도록 하였다.

《말하기》는 《학습 목표》와 관련된 말하기를 중심으로 듣기, 쓰기와 연계 활동을 할 수 있도록 구성하였다.

《읽기》는 《학습 목표》와 관련된 읽기를 중심으로 쓰기와 연계 활동을 할 수 있도록 구성하였다.

《쓰기》는 각 과에서 학습한 문법과 어휘를 사용하여 표현력을 기를 수 있도록 구성하였다.

어휘는 약 250단어를 사용하였으며 나오는 순서에 따라 해당 면의 하단에 《새로 나온 말》로 제시하였다.

《복습하기》는 이미 학습한 문법의 의미와 용법을 기본 문장을 통해 복습할 수 있도록 구성하였다.

《쉬어가기》는 한국 문화와 관련된 기초적인 내용을 제시하였다.

《듣기 자료》는 각 과의 듣기 입력 자료를 모아서 제시하였다.

《찾아보기》는 이 책에 나온 모든 어휘와 문법을 모아서 제시하였다.

한국어 교재는 재외동포 어린이를 중심으로 펼쳐지는 생활 세계의 일 등을 주제로 구성된다. 배경 설정은 한국에서 재외동포 어린이들이 참가하는 여름학교에서 일어난 일들로 구성하였다. 특히 여름학교의 정규 과정을 비롯하여, 행사, 교우 관계, 여행, 쇼핑, 한국 문화 체험 등의 상황을 설정하였다.

2권에서는 호세가 주인공이다. 나이가 8살인 남자 어린이다. 멕시코의 멕시코시티에 거주하는 초등학생이고, 컴퓨터와 축구를 좋아한다. 장래 희망은 축구 선수이며, 공부보다는 놀기를 좋아하는 어린이다.

최호세

친구들

김마리아 (7살)

춤을 좋아하며 장래 희망은 의사이다. 브라질 상파울로에서 왔다.

송바실리 (9살)

독서를 좋아하며 장래 희망은 과학자이다 카자흐스탄 알마티에서 왔다.

이유진 (10살)

여행과 악기 연주를 좋아하며 장래 희망은 변호사이다.
미국 L.A.에서 왔다.

신옥사나 (11살)

음악 감상이 취미이며 장래 희망은 소설가이다.
러시아 블라디보스토크에서 왔다.

정영애 (12살)

등산을 좋아하며 장래 희망은 외교관이다.
중국 베이징에서 왔다.

가족으로는 사업가인 아버지와 어머니, 그리고 누나 로사가 있다.

2권에서는 주인공인 호세의 언어 숙달도에 맞추어 상황, 주제, 기능, 문법과 표현, 활동 등을 고려하여 교수요목을 구성하였다.

『한국어 2』의 내용조직

『한국어 2』의 상황, 주제, 이야기 내용은 다음과 같다.

단원	상 황	주 제	이야기 내용
1	여름학교	취미	호세가 바실리, 영애와 함께 취미에 대해 이야기한다.
2	여름학교	나라	호세와 바실리가 자기가 사는 나라에 대해 이야기한다.
3	여름학교	사진	호세가 축구팀 사진을 보며 유진에게 설명한다.
4	여름학교	파티	파티에 대해 서술한다.
5	여름학교	주말 계획	호세가 선생님에게 주말에 야구장에 같이 가자고 제안한다.
6	가게	쇼핑	바실리가 운동화를 바꾼다.
7	여름학교	거절	호세가 민수의 제안에 거절한다.
8	여름학교	편지	호세가 부모님께 편지를 쓴다.
9	여름학교	파티 준비	마리아의 생일을 위해서 친구들과 준비한다.

단원	상 황	주 제	이야기 내용
10	여름학교	명소	호세와 유진이 한국의 명소에 대해 이야기한다.
11	여름학교	부탁	호세가 선생님께 토요일에 공항에 같이 가달라고 부탁한다.
12	서울	여행	호세, 아빠, 로사가 서울 시내를 구경한다.
13	병원	증상	호세가 의사에게 진찰을 받는다.
14	여름학교	증상	유진이 호세에게 병의 차도를 묻는다.
15	여름학교	사진	여름학교 기념사진에 대해 설명한다.
16	여름학교	친교	호세, 영애, 유진, 마리아가 돌아갈 자기 나라의 거리에 대해 이야기한다.

단원별 교수 내용

단원	어 휘	기 능	문법 및 표현	활 동
1	취미 관련 어휘	반말 표현하기	좋아해 / 등산이야	좋아하는 것과 싫어하는 것에 대해 말하기
		기호 표현하기	N을/를 좋아하다	
			N을/를 싫어하다	
		준말 사용하기	뭐	
2	나라 이름	개인 정보 소개하기	N에서 살다	자기가 사는 곳 설명하기
			N에서 오다	
		동사 활용 익히기	ㄹ 불규칙(살다/만들다)	
3	묘사 관련 어휘	외모 표현하기	아름답다 / 키가 크다	묘사하기
		수식 표현하기	A-ㄴ(은) N	
4	색채 관련 어휘	색채 표현하기	노란색 / 파란색 / 빨간색 / 초록색	내 방에 대해 설명하기
		이어진 문장 만들기	S-면서 V	
		동사 활용 익히기	르 불규칙(빠르다/부르다)	
5	운동 관련 어휘	가능 표현하기	V-(으)ㄹ 수 있다	할 수 있는 일에 대해 말하기
		수식 표현하기	V-는 N	

단원	어 휘	기 능	문법 및 표현	활 동
6	장래 희망 관련 어휘	물건 바꾸기	N을 N으로 바꾸다	장래 희망 말하기
		희망 표현하기	V-고 싶다	
		이어진 문장 만들기	S-는데 S	
7	활동 관련 어휘	부정 표현하기	못 V	할 수 없는 일 말하기
		불가능 표현하기	A/V-(으)ㄹ 수 없다	
		이어진 문장 만들기	S-어서 V	
8	취미 관련 어휘	의지 표현하기	V-(으)ㄹ 거예요	방학에 할 일 말하기
			V-(으)ㄹ 거야	
		이어진 문장 만들기	N인데 S	
9	파티 관련 어휘	사실 나열하기	N도 V고 N도 V	초대장 만들기
		수식 표현하기	V-(으)ㄹ N	
10	명소 관련 어휘	시도 표현하기	V-아/어 보다	광고 만들기
		준말 사용하기	뭐 / 뭘	
11	교통 관련 어휘	목적 표현하기	V-러 가다	주사위 놀이
		확인 표현하기	A/V-(이)지요	
12	교통 관련 어휘	감탄 표현하기	A/V-군요	감탄하는 말 하기
		이유 표현하기	S-니까요	
13	신체 관련 어휘	신체 명칭 익히기	무릎 / 어깨 / 배 / 코 / 다리 등	병원 놀이
		추측 표현 익히기	-ㄹ(을)까요 -ㄹ(을) 거예요	
14	증상 관련 어휘	봉사 표현하기	V-아/어 주다	친구를 위해 해 줄 수 있는 일에 대해 말해보기
		의지 표현하기	-ㄹ(을)게요	
		이어진 문장 만들기	S-(으)면 S	
		동사 활용 익히기	ㄷ 불규칙 활용 (걷다/듣다)	
15	표정 관련 어휘 (웃다/울다/화를 내다)	동작의 진행 표현하기	V-고 있다	그림 보고 진행 표현 만들기
		의지 표현하기	-ㄹ(을) 것이다	
16	교통수단 관련 어휘	비교 표현하기	N은 N보다 더 A	퍼즐 게임
		이동 시간 표현하기	N까지 N 시간이 걸려요	
		이동 방법 표현하기	타고 가다 / 걸어서 가다	

1

나는 등산을 좋아해

1. 시간이 있을 때 무엇을 하는지 이야기해 봅시다.

2. 여러분의 취미에 대해 이야기해 봅시다.

학습 목표

- 반말 표현하기
- 준말 사용하기

호　세 : 내 취미는 컴퓨터 게임과 축구야. 나는 축구를 아주 좋아해.

바실리 : 나는 컴퓨터 게임은 좋아하지만 축구는 싫어해. 누나는 취미가 뭐예요?

영　애 : 나는 등산을 좋아해.

호　세 : 저도 등산을 좋아해요. 그러면 일요일에 같이 산에 갈까요?

새로 나온 말

취미　　좋아하다　　싫어하다　　등산　　산

1. 저는 등산을 좋아합니다. - 나는 등산을 좋아**해**.

   제 취미는 등산이에요. - 내 취미는 등산**이야**.

2. 저는 음악을 **좋아해요**. 저는 축구를 **싫어해요**.

3. 제 취미는 등산이에요. - **그러면** 일요일에 같이 산에 갈까요?

4. 이것은 **무엇**입니까? 이것은 **뭐**예요?

1. 다음 문장을 1)과 같이 바꾸어 봅시다.

   1) 저는 등산을 좋아해요. ➡ 나는 등산을 좋아해.

   2) 제 방은 3층에 있어요. ➡ 내 방은 3층에 ________.

   3) 취미가 뭐예요? ➡ 취미가 ________?

   4) 지금은 한 시 삼십 분이에요.

   ➡ 지금은 ________________________.

2. 알맞은 말을 넣어 봅시다.

   1) 가 : 나는 등산을 좋아해.

   나 : 그러면 같이 산에 갈까요?

   2) 가 : 이 책은 너무 어려워.

   나 : ____________ 이 책은 어때?

3) 가 : 배가 고파.

나 : ____________________?

3. 그림을 보고 알맞은 말을 넣어 봅시다.

1)

가 : 취미가 뭐예요?

나 : ____________________.

2)

가 : 취미가 뭐야?

나 : ____________________.

3)

가 : 무엇을 좋아합니까?

나 : ____________________.

4)

가 : 무엇을 싫어해?

나 : ____________________.

▣ 잘 듣고 관계있는 것과 연결해 봅시다.

1.

유진

2.

바실리

3.

호세

4.

영애

1. 친구들의 취미에 대해 조사해 봅시다.

취미가 뭐야?

이름	취　미

2. 친구들이 좋아하는 것과 싫어하는 것에 대해 이야기해 봅시다.

농구를 좋아해?

- 응, 좋아해.

○ ×

○ ×

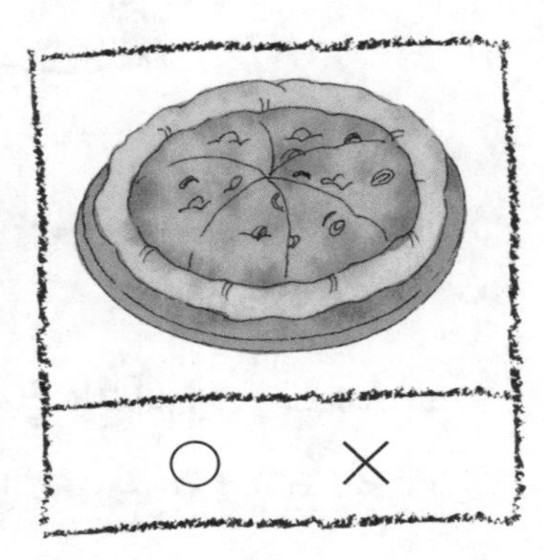

○ ×

○ ×

○ ×

○ ×

1. 읽어 봅시다.

1)

바실리

나는 역사책을 좋아해. 역사책은 어렵지만 재미있어. 일요일에는 여름학교 친구들과 함께 박물관에 갔어. 박물관에는 옛날 물건이 많이 있었어. 박물관에 가서 한국의 역사를 많이 배웠어.

2)

호세

나는 축구를 좋아하지만 등산도 좋아해. 일요일에 영애 누나와 함께 북한산에 갔어. 힘들었지만 아주 기분이 좋았어. 산에서 점심도 먹었어. 다음에 또 가려고 해.

2. 글을 읽고 답해 봅시다.

1) 바실리와 호세는 무엇을 좋아합니까?

____

____.

2) 바실리는 일요일에 무엇을 했습니까?

____.

3) 호세는 일요일에 무엇을 했습니까?

____.

새로 나온 말

박물관　　옛날　　물건　　북한산

■ 여러분이 좋아하는 것과 싫어하는 것에 대해 써 봅시다.

나는 ______________________ 을(를) 좋아해요.

____

____

____

나는 ______________________ 을(를) 싫어해요.

____

____

____

2
저는 멕시코에서 왔어요

1. 그림과 관계있는 나라 이름을 말해 봅시다.

2. 여러분이 알고 있는 다른 나라에 대해 이야기해 봅시다.

학습 목표

- 개인 정보 소개하기
- 동사 활용 익히기(1)

호세

저는 멕시코에서 왔어요. 멕시코는 미국 아래에 있어요. 우리 가족은 멕시코시티에 살아요.
멕시코시티에는 박물관이 많이 있어요. 멕시코 사람들은 스페인어를 씁니다.

바실리

저는 카자흐스탄에서 왔습니다. 카자흐스탄은 아주 넓습니다. 바다가 없고 비가 많이 오지 않습니다.
저는 알마티에 삽니다. 알마티는 사과의 도시입니다. 사과가 아주 맛있고 유명해요.

새로 나온 말

멕시코시티 스페인어 쓰다 바다
넓다 알마티 도시 유명하다

1. 마리아는 어디**에서 왔어요**?

   - 브라질**에서 왔어요**.

2. 호세는 어디**에서 살아요**?

   - 저는 멕시코시티**에서 살아요**.

3. 선생님은 서울에 **사십니다**.

   나는 한국 인형을 **만듭니다**.

1. 알맞은 말을 넣어 봅시다.

1) 가 : 유진은 어디에서 왔어요? (미국)

   나 : 유진은 미국________ 왔어요.

2) 가 : 영애는 어디에서 왔어요? (중국)

   나 : 영애는 ________________ 왔어요.

3) 가 : 바실리는 어디에서 왔어요? (카자흐스탄)

   나 : 바실리는 ____________________________.

4) 가 : 옥사나는 ________________________? (러시아)

   나 : ____________________________________.

2. 알맞은 말을 넣어 봅시다.

1) 가 : 마리아는 어디에서 삽니까?

나 : 마리아는 상파울로에서 (살다) ____________니다.

2) 나 : 선생님은 어디에 (살다) ____________니까?

나 : 나는 서울에서 살아요.

3) 가 : 지금 무엇을 (만들다) ____________세요?

나 : 한국 인형을 만들어요.

4) 가 : 호세는 무엇을 만들어요?

나 : 호세는 생일 카드를 (만들다) ____________니다.

카드 만들다

▣ 잘 듣고 맞는 것에 표시해 봅시다.

1. 우리 가족은 몇 층에서 살아요?

1) 3층　　2) 6층　　3) 7층

2. 토마스 씨는 어디에서 왔어요?

1) 미국　　2) 영국　　3) 한국　　4) 인도

3. 토마스 씨는 무엇을 합니까?

1) 선생님입니다.

2) 회사에 다닙니다.

3) 사업을 합니다.

4) 학생입니다.

새로 나온 말

씨　　인도

1. 친구와 같이 짝이 되어 그림을 보고 이야기해 봅시다.

왕웨이 씨는 어디에서 왔어요?

1)

베이징

중국

왕웨이

말 : 중국어

가 : ____________________?

나 : ____________________.

2)

미국

마이클

말 : ________

가 : ____________________?

나 : ____________________.

3)

브라질

상파울로

마리아

말 : 스페인어

가 : ____________________?

나 : ____________________.

2. 친구와 같이 짝이 되어 빈칸에 들어갈 말을 서로 물어보고 써 봅시다.

- 중국에서 왔어요.

1)

중국

왕웨이

말 : ________

가 : ________________________________?

나 : ________________________________.

2)

미국

뉴욕

마이클

말 : 영어

가 : ________________________________?

나 : ________________________________.

3)

브라질

마리아

말 : ________

가 : ________________________________?

나 : ________________________________.

새로 나온 말

베이징 중국어 뉴욕

1. 읽어 봅시다.

저는 부모님과 함께 서울에서 삽니다. 저는 서울에서 태어났습니다. 서울에는 산이 많습니다. 북한산과 남산이 유명합니다. 서울에는 강도 있습니다. 한강에서 배도 탑니다. 서울은 복잡하지만 아름답습니다. 여러분, 서울에 한번 오세요.

2. 글을 읽고 답해 봅시다.

1. 우리 가족은 어디에서 삽니까?

______________________________.

2. 서울에는 무슨 산이 유명합니까?

______________________________.

3. 한강에서 무엇을 합니까?

______________________________.

4. 서울은 어떻습니까?

______________________________.

부모님 서울 태어나다 남산 한강 여러분 한번

■ 여러분이 사는 곳을 그림으로 그려 보고 소개하는 글을 써 봅시다.

3

우리는 같은 축구팀이야

1. 그림에 나오는 사람들의 외모에 대해 이야기해 봅시다.

2. 다른 친구들의 외모에 대해 이야기해 봅시다.

학습 목표

- 외모 표현하기
- 수식 표현하기(1)

호세 : 이게 우리 축구팀 사진이야.

유진 : 이 사람은 누구야?

호세 : 우리 누나 로사야. 우리는 같은 축구팀이야.

유진 : 누나도 축구를 해?

호세 : 누나는 운동을 잘해.

유진 : 이 키가 큰 사람은 누구야?

호세 : 축구팀 선생님이야. 친절하지만 운동장에서는 무서운 분이야.

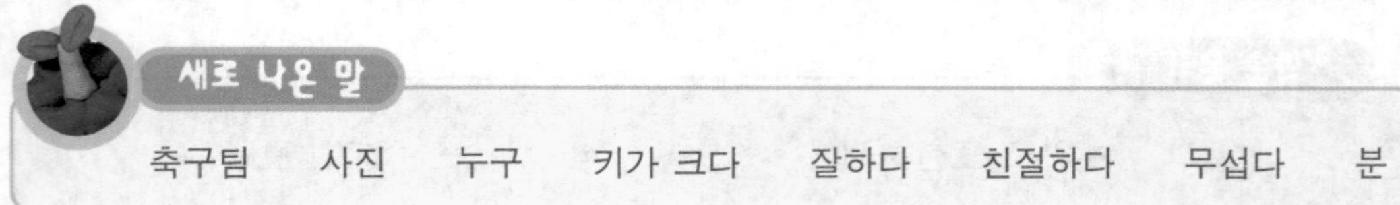

1. 이것은 아주 **좋은** 책이야.

   키가 **큰** 사람이 호세의 누나야.

2. 어머니는 어떤 분이야?

   친절하고 아름다운 분이야.

1. 1)과 같이 알맞은 말을 넣어 봅시다.

1) 선생님은 친절합니다.

➡ 선생님은 친절한 분입니다.

2) 내 방은 작습니다.

➡ 내 방은 (작다) ________ 방입니다.

3) 이 노래는 아주 쉽습니다.

➡ 이 노래는 아주 (쉽다) ________ 노래입니다.

4) 오늘은 날씨가 춥습니다.

➡ 오늘은 (춥다) ________ 날씨입니다.

2. 알맞은 말을 넣어 1)과 같이 대화를 만들어 봅시다.

1) 무엇을 드릴까요?

➡ 좀 큰 가방을 주세요.

2) 철수는 어떤 학생이에요?

➡ 철수는 머리가 (좋다)__________ 학생이에요.

3) 어떤 음악이 좋아요?

➡ 나는 (빠르다)__________ 음악을 좋아해요.

4) 뭘 마시겠어요?

➡ 저는 (시원하다)__________ 콜라를 마시겠어요.

5) 마리아는 뭘 마시겠어요?

➡ 저는 (따뜻하다)__________ 우유를 주세요.

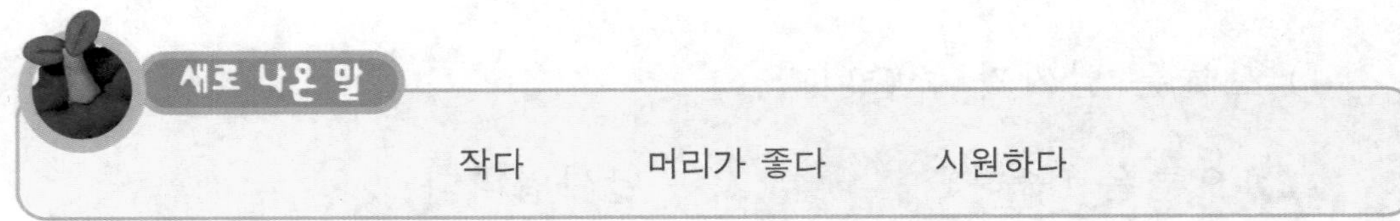

■ 잘 듣고 관계있는 그림과 연결해 봅시다.

아버지 어머니 언니 나 오빠

새로 나온 말

오빠

1. 친구에게 물어봅시다.

이름 / 물음		
1) 지금 피곤해요?		
2) 한국어 공부가 쉬워요?		
3) 배가 고파요?		
4) 집이 멀어요?		
5) 지금 더워요?		
6) 기분이 좋아요?		
7) 친구가 많아요?		

2. 표를 보고 친구와 이야기해 봅시다.

1) 지금 피곤한 사람은 누구입니까?

____

2) 한국어 공부가 쉬운 사람은 누구입니까?

____

3) 배가 고픈 사람은 누구입니까?

____

4) 집이 먼 사람은 누구입니까?

____

5) 지금 더운 사람은 누구입니까?

____

6) 기분이 좋은 사람은 누구입니까?

____

7) 친구가 많은 사람은 누구입니까?

____

피곤하다 멀다

1. 다음을 읽고 그림으로 그려 봅시다.

1) 긴 머리

2) 큰 눈

3) 작은 입

4) 예쁜 코

5) 짧은 치마

6) 작은 가방

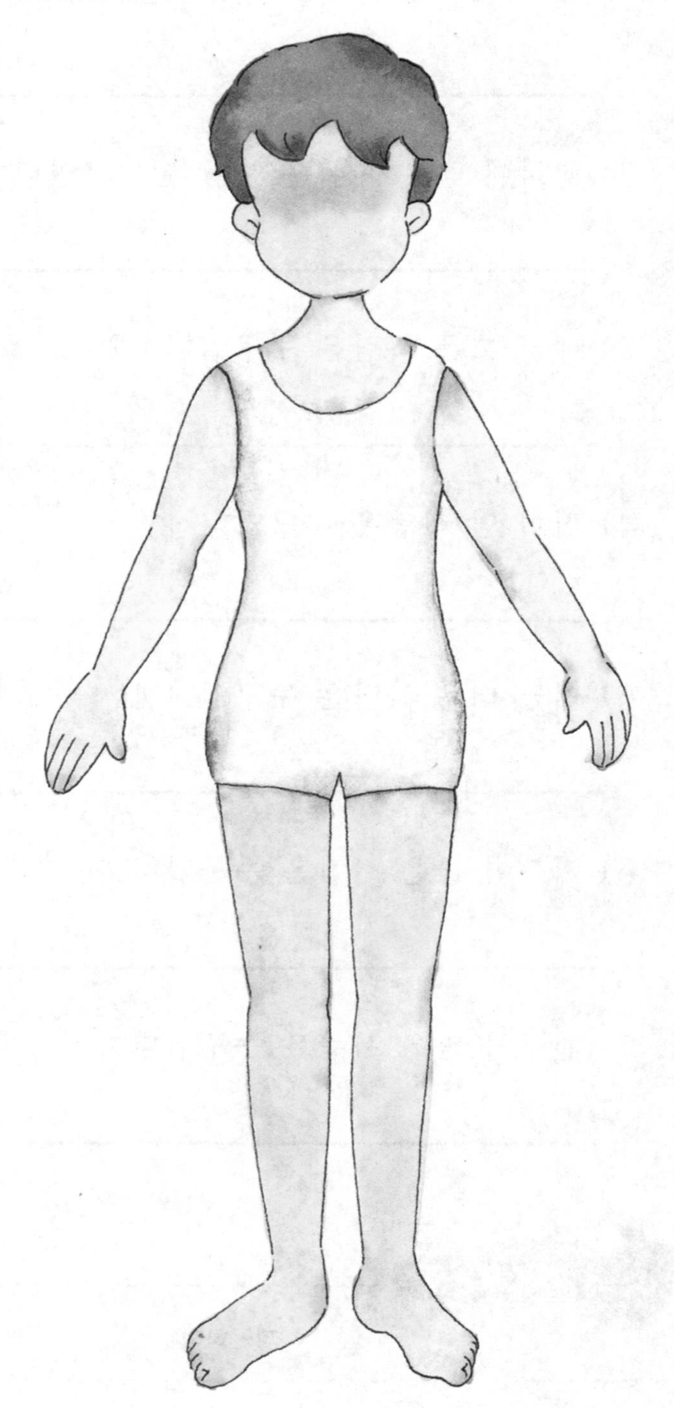

2. 읽어 봅시다.

우리는 일요일에 북한산에 갔습니다. 북한산은 아주 높습니다. 날씨가 더웠지만 산 위는 아주 시원했습니다. 우리는 산에서 내려와서 식당에 갔습니다. 우리는 식당에서 냉면을 먹었습니다. 냉면이 아주 시원했습니다. 참 즐거웠습니다.

새로 나온 말

길다 머리 크다 눈 입 예쁘다 코 짧다 치마 높다

▣ 앞의 글을 다시 써 보세요.

우리는 일요일에 북한산에 갔습니다.

북한산은 아주 (　　　　　　　)  입니다.

(　　　　　　　) 날씨였지만 산 위는 아주 시원했습니다.

우리는 산에서 내려와서 식당에 갔습니다.

우리는 식당에서 (　　　　　　　)  을 먹었습니다.

참 (　　　　　　　)

일	월	화	수	목	금	토
		1	2	3	4	5
6	7	8	9	10	11	12
13	14	15	16	17	18	19

이었습니다.

4
노래를 하면서 춤도 추었습니다

1. 어느 나라의 전통 의상인지 이야기해 봅시다.

2. 여러분 나라의 전통 의상을 그림으로 그려 봅시다.

학습 목표

- 색채 표현하기
- 이어진 문장 만들기(1)
- 동사 활용 익히기(2)

오늘은 여름학교에서 파티를 했습니다.

영애는 한복을 입었습니다. 노란색 저고리와 파란색 치마가 아주 예뻤습니다.

옥사나는 러시아 노래를 불렀습니다. 노래를 하면서 춤도 추었습니다.

우리는 음식을 먹으면서 이야기를 했습니다.

정말 즐거운 시간이었습니다.

새로 나온 말

한복　입다　노란색　저고리　파란색　부르다　이야기를 하다　정말

1. **노란색** 저고리와 **파란색** 치마를 입었습니다.
2. 우리는 음식을 먹**으면서** 이야기를 했습니다.
3. 옥사나는 러시아 노래를 **불렀습니다**.

1. 다음 문장을 1)과 같이 만들어 봅시다.

1) 

빨간색

나는 티셔츠를 입었습니다.

➡ 나는 빨간색 티셔츠를 입었습니다.

2) 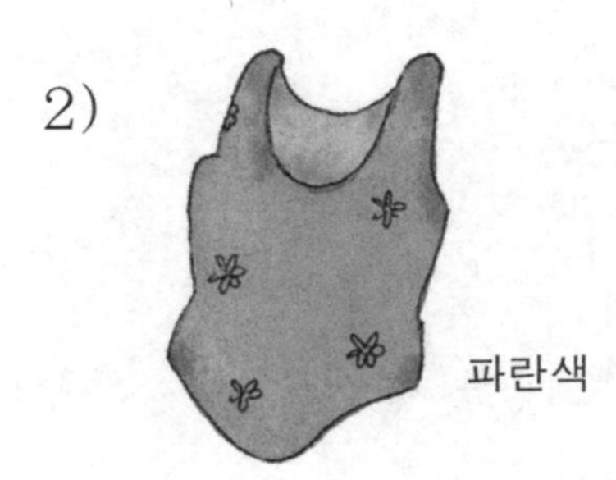

파란색

마리아는 수영복을 입었습니다.

➡ 마리아는 ________ 수영복을 입었습니다.

3)

초록색

바실리는 운동화를 샀습니다.

➡ 바실리는 ________ 운동화를 샀습니다.

4) 

노란색

나는 꽃을 좋아합니다.

➡ 나는 ________ 꽃을 좋아합니다.

2. 그림을 보고 알맞은 말을 넣어 봅시다.

1) 

호세는 콜라를 마시면서 텔레비전을 봅니다.

2) 

유진은 영화를 ____________ 웃습니다.

3) 

선생님께서는 ______________________
운전을 하십니다.

3. (   ) 안의 말을 넣어 문장을 만들어 봅시다.

빠르다, 부르다

1) 가 : 유진은 무엇을 합니까? 나 : 노래를 불러요.

2) 가 : 어제 파티에서 무슨 노래를 (부르다) ____________?

나 : 멕시코 노래를 (부르다) ____________.

3) 가 : 무엇을 탈까요?

나 : 지하철이 (빠르다) ____________니까 지하철을 타요.

4) 가 : 무슨 컴퓨터를 살까요?

나 : 이 컴퓨터를 사세요. 아주 (빠르다) ____________.

새로 나온 말

노란색　　티셔츠　　빨간색　　운동화
초록색　　웃다　　노래를 부르다　　운전

■ 잘 듣고 관계있는 그림에 표시해 봅시다.

1. 1)　　　　2)

3)

2. 1)
( )　( )
2)
( )　( )

3)
( )　( )

3. 1)

2)

3)

1. 그림을 보고 무슨 색을 좋아하는지 친구들과 이야기해 봅시다.

무슨 색을 좋아해요?

- 파란색을 좋아해요.

2. 그림을 보고 무엇을 하고 있는지 말해 봅시다.

1) 

유진은 빵을 먹으면서 이야기합니다.

2) 

마리아는 ______________________

______________________________.

3) 

영애는 ______________________

______________________________.

1. 읽어 봅시다.

오늘 호세는 영애와 함께 등산을 갑니다.

호세는 파란색 바지와 흰색 셔츠를 입었습니다.

호세의 양말은 노란색입니다.

호세는 초록색을 좋아합니다.

모자도 초록색이고, 가방도 초록색입니다.

새로 나온 말

흰색 셔츠 양말 모자

2. 알맞은 색을 칠해 봅시다.

■ 내 방을 그리고 방에 대해 써 봅시다.

여기는 내 방입니다.

내 책상은 ____________ 색입니다.

____

____

____

◉ 배운 것을 복습해 봅시다.

1.

여기는 학교입니다.	여기는 학교예요.	여기는 학교야.
이것은 책입니다.	이것은 책이에요.	이것은 책이야.

수박을 먹습니다.	수박을 먹어요.	수박을 먹어.
콜라를 마십니다.	콜라를 마셔요.	콜라를 마셔.
서울에 삽니다.	서울에 살아요.	서울에 살아.
학교에 갑니다.	학교에 가요.	학교에 가.
음식을 준비합니다.	음식을 준비해요.	음식을 준비해.

여기는 학교입니까?	여기는 학교예요?	여기는 학교야?
수박을 먹습니까?	수박을 먹어요?	수박을 먹어?
	케이크를 살까요?	케이크를 살까?

여기는 학교예요? ➡ 네, 학교예요.

➡ 아니요, 학교가 아니에요. 기숙사예요.

여기는 학교야? ➡ 응, 학교야.

➡ 아니, 학교가 아니야. 기숙사야.

호세는 어디에서 왔어요? (멕시코)

➡ 저는 ______________________.

취미가 뭐야? (등산) ➡ 나는 ______________________.

영화를 좋아하세요? ➡ 응, ______________________.

➡ 아니, ______________________.

◉ 다시 쓰세요.

저는 카자흐스탄에서 왔습니다. 카자흐스탄에는 바다가 없습니다. 나라가 아주 넓고 비가 많이 오지 않습니다. 저는 알마티에 삽니다. 알마티는 사과의 도시입니다. 사과가 아주 맛있고 유명해요.

나는 카자흐스탄에서 왔어. 카자흐스탄에는 바다가 ________. 나라가 아주 넓고 비가 많이 오지 ________. ________ 알마티에 ________. 알마티는 사과의 도시________. 사과가 아주 맛있고 ________.

1. 다음을 읽어 봅시다.

	ㅂ니다	아/어요	았/었어요	-(으)니까
부르다	부릅니다	불러요	불렀어요	부르니까
빠르다	빠릅니다	빨라요	빨랐어요	빠르니까
살다	삽니다	살아요	살았어요	사니까
멀다	멉니다	멀어요	멀었어요	머니까
만들다	만듭니다	만들어요	만들었어요	만드니까

마리아는 노래를 부릅니다. ➡ 마리아는 노래를 불러요.

지하철이 빠릅니다. ➡ 지하철이 빨라요.

호세는 멕시코시티에 살아요. ➡ 호세는 멕시코시티에 삽니다.

학교가 멀어요. ➡ 학교가 멉니다.

파티에서 무엇을 했어요?

➡ 노래를 __________ 춤도 추었어요. (부르다)

바실리는 어디에 살아요?

➡ 바실리는 알마티에 __________다. (살다)

무엇을 탈까요? ➡ 집이 __________니까 택시를 타세요. (멀다)

버스가 __________요? 지하철이 __________요? (빠르다)

➡ 지하철이 빠릅니다.

2. 다음 그림을 보고 맞는 색을 연결하세요.

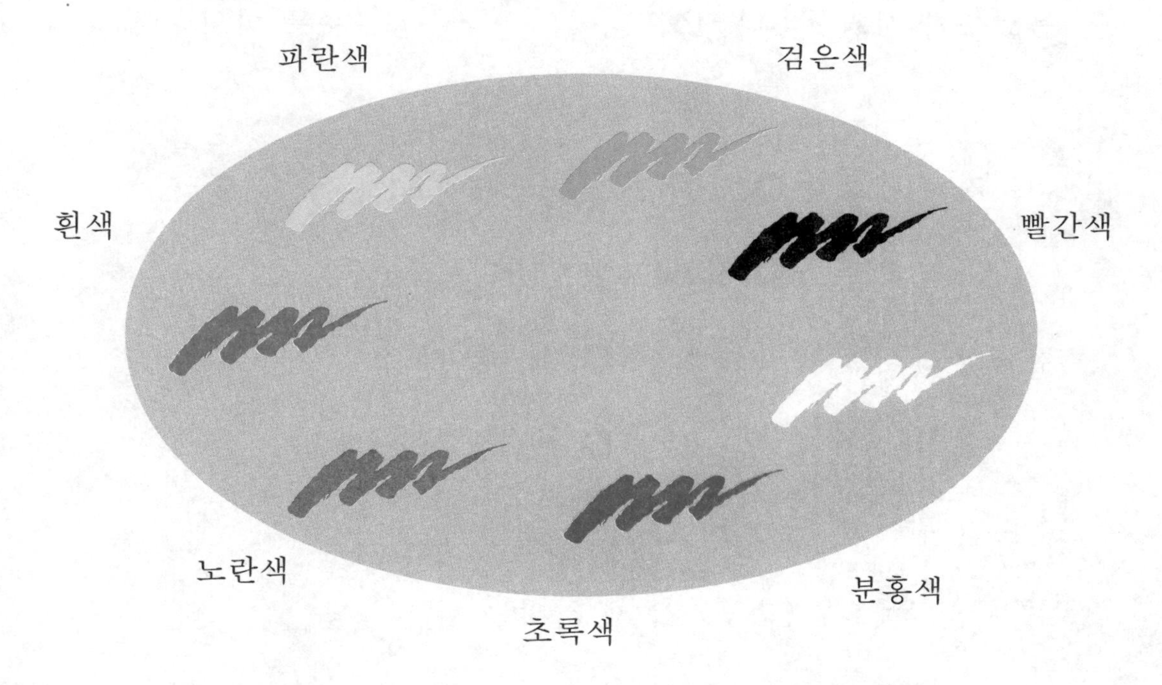

3. -는/은

선생님은 친절합니다. ➡ 선생님은 친절한 분입니다.

이 컴퓨터는 아주 좋습니다. ➡ 이것은 아주 좋은 컴퓨터입니다.

날씨가 아주 춥습니다. ➡ 아주 추운 날씨입니다.

북한산은 아주 높습니다. ➡ 북한산은 ______________ 산입니다.

한국어는 재미있고 쉽습니다.

➡ 한국어는 재미있고 _________ 말입니다.

영애는 키가 큽니다. ➡ ______________ 사람이 영애입니다.

여름학교에 학생이 많습니다.

➡ _________ 학생이 여름학교에 왔습니다.

음료수가 시원합니다. ➡ _____________ 음료수를 마십니다.

4. 취미가 뭐예요? ➡ 제 취미는 여행이에요.

➡ 저는 여행이 취미예요.

컴퓨터 게임을 좋아하세요? ➡ 네, 좋아해요.

➡ 아니요, 싫어해요.

취미가 뭐예요? (등산) ➡ 저는 ___________________________.

취미가 뭐예요? (축구) ➡ 제 취미는 ______________________.

무슨 노래를 좋아하세요? (한국 노래)

➡ _________________ 좋아해요.

5. 그러면

이 책은 너무 어려워요. ➡ 그러면 이 책을 읽으세요.

복숭아는 집에 많이 있어요. (포도)

➡ ______________________ 살까요?

일요일에 산에 가려고 해. (북한산)

➡ ______________________ 가.

친구 생일 선물을 사야 해요. (인형)

➡ ______________________ 사세요.

6. -면서

과자를 먹으면서 텔레비전을 봅니다.

컴퓨터를 하면서 음악을 듣습니다.

호세는 무엇을 합니까? (콜라를 마시다)

➡ ______________________ 이야기를 합니다.

바실리는 무엇을 합니까? (책을 읽다)

➡ ______________________ 숙제를 합니다.

유진은 무엇을 합니까? (옷을 입다)

➡ ______________________ 전화를 합니다.

7. 다음을 잘 읽어 보세요. 그리고 친구와 같이 역할 놀이를 해 봅시다.

1)

옥사나

러시아 블라디보스토크	중국 베이징
중국 위에 있다.	한국 옆에 있다.
러시아어	중국어
⋮	만리장성
⋮	⋮

영애

보기

옥사나 : 어디에서 왔어?

영　애 : 나는 중국 베이징에서 왔어.

옥사나 : 베이징은 어디에 있어?

영　애 : 한국 옆에 있어.

옥사나 : 중국에서는 무슨 말을 써?

영　애 : 중국어를 써.

옥사나 : 중국은 무엇이 유명해?

영　애 : 만리장성이 유명해.

⋮

2)

마리아

브라질 상파울로	멕시코 멕시코시티
아르헨티나 위에 있다.	미국 아래에 있다.
포르투갈어	스페인어
⋮	⋮

호세

한 복

◉ 한복은 한국 고유의 옷입니다. 한국에서는 설날이나 추석과 같은 명절에 한복을 입습니다.

1. 남자 어린이와 여자 어린이의 한복을 알아봅시다.

2. 한복을 예쁘게 색칠해 봅시다.

2. 여러분이 사는 곳의 고유 의상은 무엇입니까? 옷의 이름을 말해 보고 간단하게 그려 봅시다.

5
같이 축구장에 갈 수 있어요

1. 무슨 운동을 할 수 있는지 말해 봅시다.

2. 여러분이 할 수 있는 것에 대해 더 말해 봅시다. (악기, 언어…)

학습 목표

- 가능 표현하기
- 수식 표현하기(2)

호　세 : 선생님, 이번 주말에 바쁘세요?

선생님 : 아니, 바쁘지 않아.

호　세 : 그럼 주말에 같이 축구장에 갈 수 있어요?

선생님 : 응, 갈 수 있어.

호　세 : 축구장에 어떻게 가요?

선생님 : 여기서는 축구장으로 가는 버스가 없어.
지하철을 타야 해.

호　세 : 축구장이 여기에서 멀어요?

선생님 : 좀 멀지만 지하철이 빠르니까 빨리 갈 수 있어.

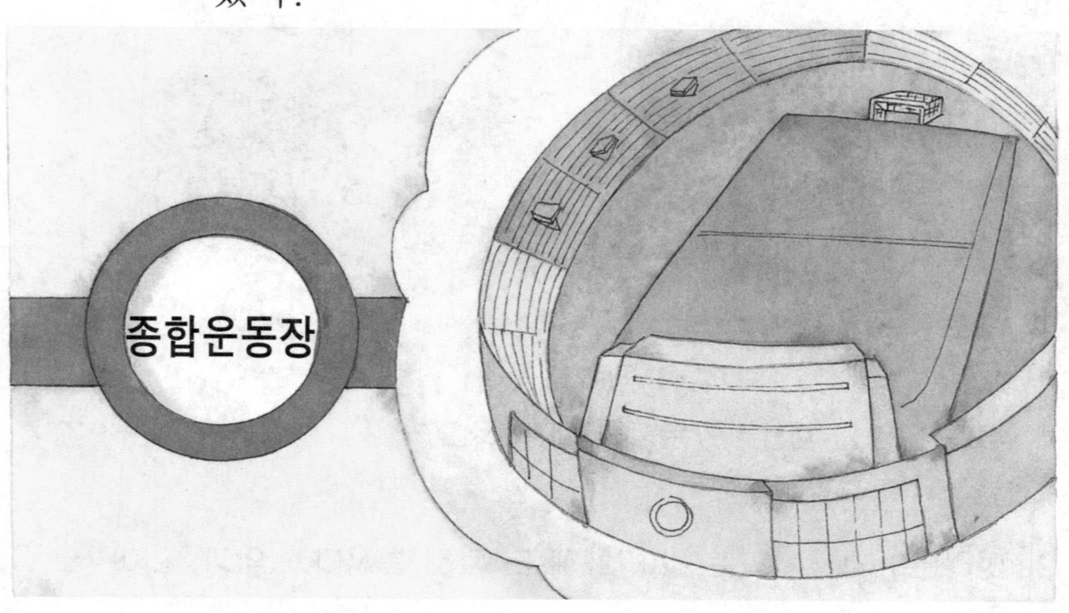

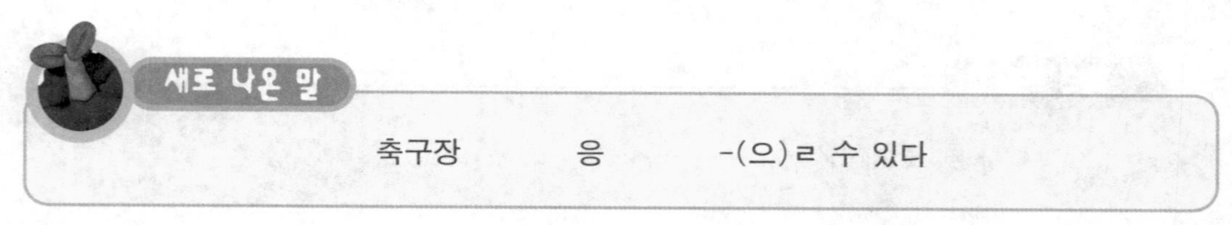

1. 주말에 같이 축구장에 **갈 수 있어요**?
   - 네, **갈 수 있어요**.
2. 아버지가 **다니는** 회사는 시내에 있어요.
   지금 **읽는** 책은 한국어 책이야.

1. 다음 그림을 보고 (   ) 안의 말을 넣어 문장을 만들어 봅시다.

1)

나는 태권도를 할 수 있어요.

2)

나는 피아노를 (치다) ______________________.

3)

나는 빵을 (만들다) ______________________.

4)

선생님은 (운전하다) ______________________.

2. 다음 문장을 1)과 같이 만들어 봅시다.

1) 바실리가 아이스크림을 먹어요.

➡ 바실리가 먹는 아이스크림은 500원이에요.

2) 마리아가 친구를 만나요.

➡ ________________________ 친구는 멕시코 사람이에요.

3) 나는 책을 읽어요.

➡ ________________ 책은 역사책이에요.

3. (　　) 안의 말을 넣어 문장을 만들어 봅시다.

1) 가 : 이것은 무슨 책이에요?

나 : (유진이 공부하다) ________________________ 책이에요.

2) 가 : 어디로 가는 버스예요?

나 : (북한산으로 가다) ________________________ 버스예요.

3) 가 : 저기는 어디예요?

나 : (내가 다니다) ________________________ 여름학교예요.

1. 잘 듣고 준비할 수 있는 것에 표시해 봅시다.

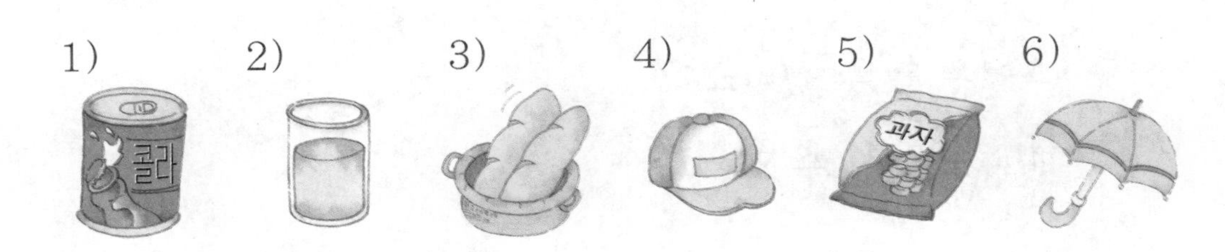

2. 잘 듣고 해당되는 사람들과 연결해 봅시다.

마리아 옥사나 유진

1. 그림을 보고 내가 할 수 있는 일을 친구와 함께 이야기해 봅시다.

무엇을 할 수 있어요?
– 피아노를 칠 수 있어요.

2. 내가 할 수 있는 일에 대해 써 봅시다.

나는 피아노를 칠 수 있어요.

.

.

.

.

.

1. 읽어 봅시다.

여기는 우리 교실입니다.

지금은 쉬는 시간입니다.

자는 학생은 호세입니다.

칠판에 글씨를 쓰는 학생은 바실리입니다.

만화책을 읽는 학생은 마리아입니다.

시계를 보는 학생은 영애입니다.

교실에서 이야기하는 학생은 옥사나와 유진이입니다.

쉬다 글씨를 쓰다

2. 글을 읽고 내용에 맞게 이름을 써 봅시다.

■ 답해 봅시다.

1. 가 : 좋아하는 운동이 뭐예요?

   나 : 내가 좋아하는 운동은 ______________________.

2. 가 : 옆에 있는 친구 이름이 뭐예요?

   나 : 옆에 있는 친구 이름은 ______________________.

3. 가 : 싫어하는 색이 무슨 색이에요?

   나 : 내가 싫어하는 색은 ______________________.

4. 가 : 만들 수 있는 음식이 뭐예요?

   나 : 내가 만들 수 있는 음식은 ______________________.

6

운동화를 바꾸고 싶어요

1. 직업 이름을 말해 봅시다.

2. 어른이 되어서 무슨 일을 하고 싶은지 이야기해 봅시다.

학습 목표

- 물건 바꾸기
- 희망 표현하기
- 이어진 문장 만들기(2)

아가씨 : 어서 오세요.

바실리 : 일주일 전에 운동화를 샀는데 다른 운동화로 바꾸고 싶어요.

아가씨 : 왜요?

바실리 : 작아요. 좀 큰 운동화 있어요?

아가씨 : 같은 색 운동화는 없는데 어떻게 할까요?

바실리 : 무슨 색 운동화가 있어요?

아가씨 : 파란색하고 노란색이 있어요.

바실리 : 그러면 파란색 운동화를 주세요.

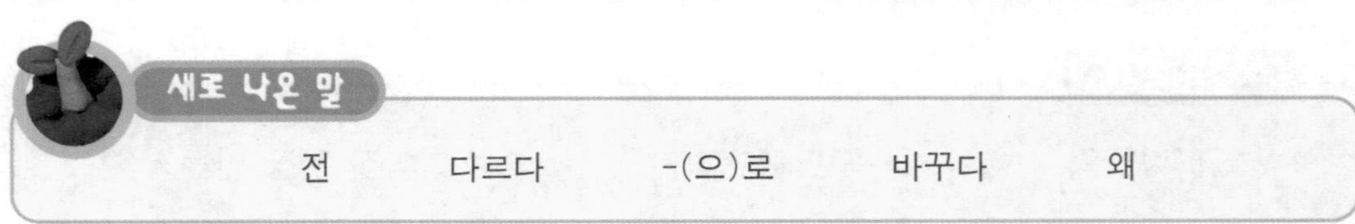

1. 운동화를 **샀는데** 너무 커요.
2. 운동화를 하나 사**고 싶어요**.
3. 파란색 운동화를 노란색 운동화**로 바꿉니다**.

1. 다음 문장을 1)과 같이 만들어 봅시다.

1) 토요일에 시장에 갔어요.

➡ 토요일에 시장에 갔는데 사람이 많았어요.

2) 여름학교에서 파티를 했어. (마리아가 춤을 추다)

➡ 여름학교에서 파티를 ________________.

3) 나는 멕시코에서 왔어. (멕시코에는 박물관이 많다)

➡ ________________.

2. 질문에 답해 봅시다.

1) 

가 : 무엇을 하고 싶어요?

나 : 수영을 하고 싶어요.

2) 

가 : 무엇을 하고 싶어?

나 : ________________.

3)

가 : 무엇을 먹고 싶어요?

나 : ______________________.

4)

가 : ______________________?

나 : ______________________.

3. 알맞은 대화로 만들어 봅시다.

1)

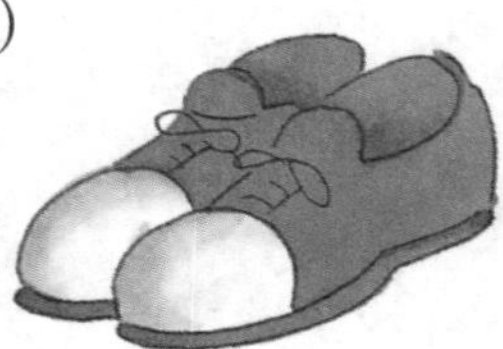

가 : 일주일 전에 이 운동화를 샀는데 너무 커요.

나 : 그러면 좀 작은 운동화로 바꾸세요.

2)

가 : ________색은 싫어.

나 : 그러면 다른 ______________.

3)

가 : 어제 이 책을 샀는데 ____________.

나 : 쉬운 ______________________.

새로 나온 말

-고 싶다

▣ 잘 듣고 알맞은 것을 골라 봅시다.

1. 무슨 선물을 받고 싶습니까?

(　　　)

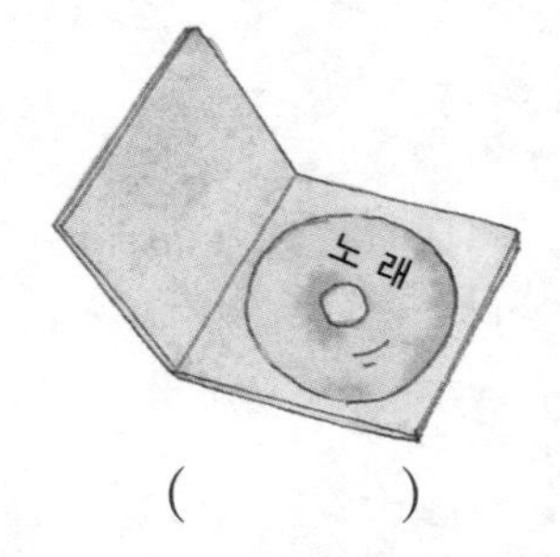

(　　　)

2. 무엇으로 바꾸려고 합니까?

(　　　)

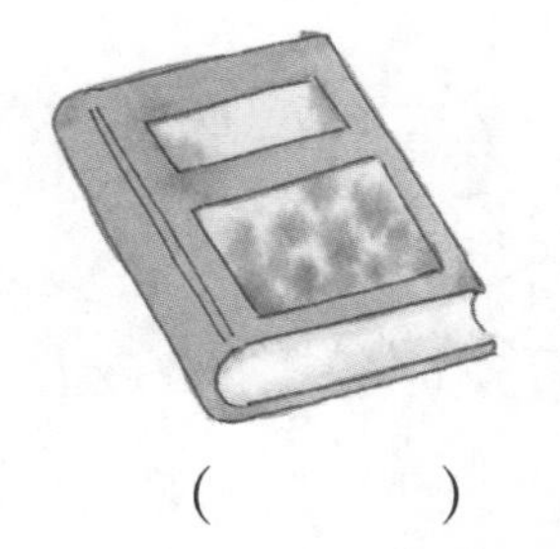

(　　　)

3. 무엇을 마시고 싶습니까?

(　　　)

(　　　)

1. 백화점에서 무엇을 사고 싶은지 친구들과 이야기해 봅시다.

무엇을 사고 싶어요?
- 인형을 사고 싶어요.

2. 친구와 만날 약속을 해 봅시다.

가 : 오늘 오후에 백화점에 가려고 하는데 같이 갈 수 있어?

나 : 왜?

가 : 일주일 전에 가방을 샀는데 바꾸려고 해.

1) 오늘 오후에 백화점에 가려고 해요. 일 주일 전에 가방을 샀는데 색이 마음에 안 들어요.

2) 내일 시장에 가려고 해요. 내일 저녁에 파티가 있는데 파티 음식을 준비하려고 해요.

3) 오늘 선물 가게에 가려고 해요. 친구 생일 선물을 샀는데 다른 물건으로 바꾸고 싶어요.

마음에 들다

1. 읽어 봅시다.

1) 

저는 축구선수가 되고 싶어요. 저의 취미는 축구인데 축구선수 펠레를 아주 좋아해요. 저도 유명한 축구선구가 되고 싶어요.

2) 

저는 과학자가 되고 싶어요. 저는 에디슨을 좋아해요. 주말에는 도서관에 가서 역사책과 과학책을 읽어요.

2. 글을 읽고 답해 봅시다.

1) 호세는 무엇이 되고 싶습니까?

2) 바실리는 무엇이 되고 싶습니까?

3) 호세는 누구를 좋아해요?

4) 바실리는 주말에 무엇을 해요?

저 되다 펠레 과학자 에디슨

▣ 써 봅시다.

내가 하고 싶은 것

나는 ______________________ 을(를) 하고 싶습니다.

7

생일 파티가 있어서 갈 수 없어

1. 여러분이 할 수 없는 일을 이야기해 봅시다.

2. 할 수 없는 이유를 말해 봅시다.

학습 목표

- 부정 표현하기
- 불가능 표현하기
- 이어진 문장 만들기(3)

민 수 : 여보세요. 호세 있어요?

호 세 : 제가 호세예요. 실례지만 누구세요?

민 수 : 나 민수야. 우리 토요일에 같이 수영장에 갈까?

호 세 : 미안하지만 못 가.

민 수 : 왜 못 가?

호 세 : 이번 토요일에 마리아의 생일 파티가 있어서 갈 수 없어.

민 수 : 좋아. 그럼 다음에 같이 가.

호 세 : 미안해.

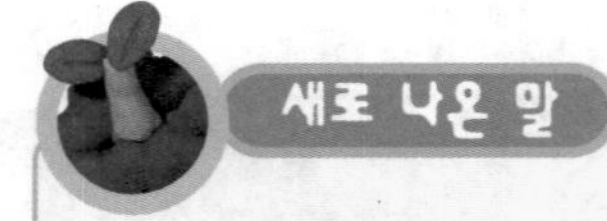

새로 나온 말

못　　-(으)ㄹ 수 없다　　미안하다

1. 내일 같이 산에 갈까?

   - 미안하지만 **못 가**.

2. 왜 산에 못 가?

   - 내일은 약속이 있**어서** 바빠.

3. 파티에 갈 수 있어?

   - 아니, 바빠서 **갈 수 없어**.

1. '-아서/어서'를 써서 답해 봅시다.

1) 

가 : 왜 아이스크림을 먹어?

나 : 날씨가 더워서 아이스크림을 먹어.

2) 

가 : 왜 버스를 안 타?

나 : ________________ 버스를 안 타.

3) 

가 : ________________________?

나 : 날씨가 추워서 코트를 입었어.

4) 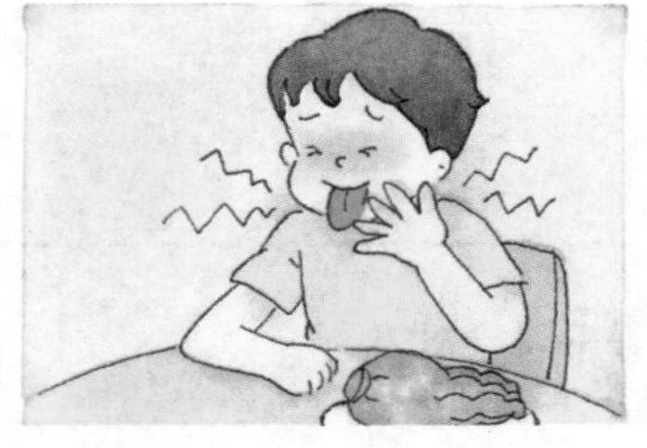

가 : 왜 김치를 ________________?

나 : ________________________.

2. 그림을 보고 알맞은 말을 넣어 봅시다.

1)

가 : 야구를 할 수 있어요?

나 : ______________________.

2)

가 : 줄넘기를 할 수 있어요?

나 : ______________________.

3)

가 : 자전거를 탈 수 있어요?

나 : 아니요, ______________________.

4)

가 : 물구나무서기를 할 수 있어요?

나 : ______________________.

새로 나온 말

코트　　줄넘기　　물구나무서기

1. 잘 듣고 할 수 있으면 ○표, 할 수 없으면 ×표를 해 봅시다.

1)

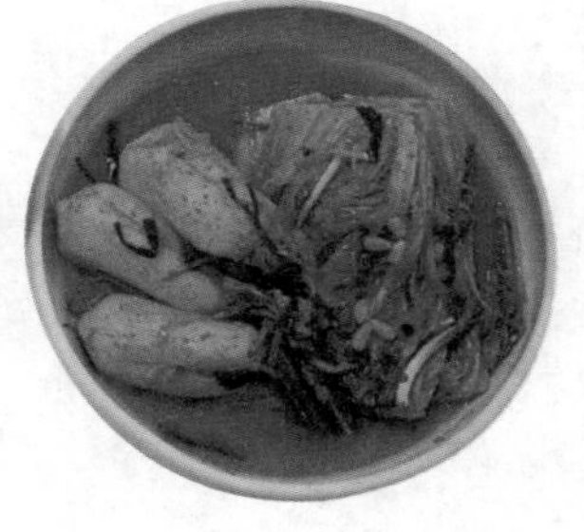

(　　　)

2)

(　　　)

3)

(　　　)

2. 다음 물음에 답해 봅시다.

왜 공항에 가야 해요?

1) 친구가 와서

2) 전화가 와서

3) 어머니가 오셔서

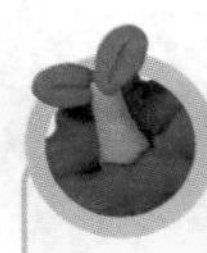

새로 나온 말

공항

1. 친구와 같이 짝이 되어 그림을 보고 이야기해 봅시다.

혼자 잘 수 있어요?

– 아니요, 혼자 잘 수 없어요.

2. 친구와 이야기해 봅시다.

나는 음식을 만들 수 없어요.
배우지 않아서 못 해요.

혼자 배우다

1. 서로 관련 있는 말에 선을 그어 봅시다.

1. 영화가 재미있어서 •	• 식당에 갔어요.
2. 말이 너무 빨라서 •	• 야구를 못 했어요.
3. 날씨가 나빠서 •	• 청소했어요.
4. 숙제가 많아서 •	• 또 봤어요.
5. 배가 고파서 •	• 못 들었어요.
6. 방이 더러워서 •	• 시간이 없어요.

2. 다음을 읽고 거절해 보세요. 그리고 이유도 말해 보세요.

1)

가 : 우리 같이 컴퓨터 게임 할까?

나 : 미안하지만, 못 해.

가 : 왜 못 해?

나 : 지금은 너무 바빠서 할 수 없어.

2)

가 : 내일 같이 극장에 갈까?

나 : ______________________.

가 : ______________________?

나 : ______________________.

3)

가 : 같이 음악을 들을까?

나 : ______________________.

가 : ______________________?

나 : ______________________.

새로 나온 말

청소하다　　숙제　　더럽다

▣ 이 아기는 무엇을 할 수 없는지 써 봅시다.

이 아기는 내 동생 솔이예요.

내 동생은 이가 없어서 밥을 먹을 수 없어요.

그렇지만 우리 가족은 모두 솔이를 사랑해요.

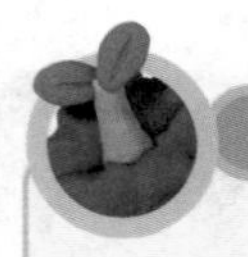

새로 나온 말

이　　그렇지만　　사랑하다

8

언제 한국에 오실 거예요

1. 이번 주말에 무엇을 할지 친구들과 이야기해 봅시다.

2. 방학에 무엇을 할지 이야기해 봅시다.

학습 목표

- 의지 표현하기(1)
- 이어진 문장 만들기(4)

부모님께

그동안 안녕하셨어요?

저는 잘 지내고 있어요.

지금은 밤인데 비가 와요.

아버지, 어머니, 많이 보고 싶어요.

언제 한국에 오실 거예요?

아버지, 어머니가 오시는 날에 저는 친구들과 같이 공항에 갈 거예요.

빨리 만나고 싶어요.

안녕히 계세요.

○○○○년 7월 21일

호세 올림

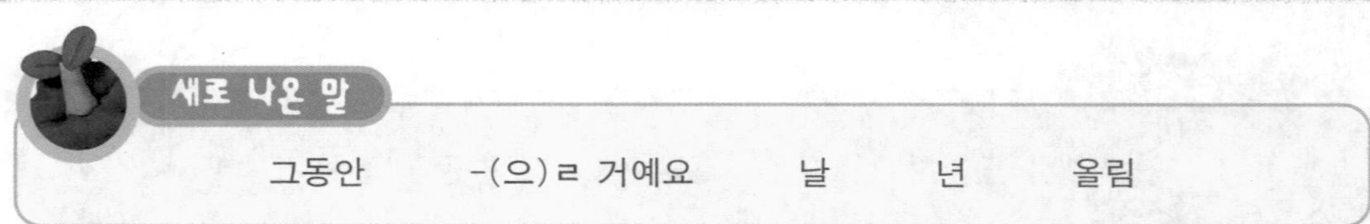

새로 나온 말

그동안　　-(으)ㄹ 거예요　　날　　년　　올림

> 1. 주말에 무엇을 **할 거예요**?
>
> 집에서 **쉴 거예요**.
>
> 2. 지금 밤**인데** 비가 와요.
>
> 오늘은 일요일**인데** 아주 바빠요.

1. 다음 그림을 보고 1)과 같이 문장을 만들어 봅시다.

1) 가 : 일요일에 어디에 갈 거예요?

나 : 산에 갈 거예요.

2) 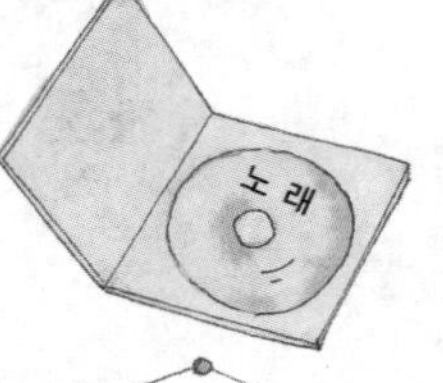

가 : 주말에 무엇을 할 거예요?

나 : 백화점에서 ______________________.

3) 

가 : 바실리의 생일 선물을 언제 살 거예요?

나 : ______________________.

4) 

가 : 선생님 댁에 어떻게 갈 거예요?

나 : ______________________.

2. (   ) 안의 말을 넣어 문장을 만들어 봅시다.

1) 가 : 컴퓨터실에 언제 갈 거야? (다섯 시)

나 : 다섯 시에 갈 거야.

2) 가 : 배가 고픈데 무엇을 먹을 거야? (떡볶이)

나 : ____.

3) 가 : 학교 끝나고 누구를 만날 거야? (바실리)

나 : ____.

3. 다음의 문장을 1)과 같이 만들어 봅시다.

1) 호세

저는 호세인데 축구를 좋아해요.

2) 마리아

저는 ______________ 한국 무용을 좋아해요.

3) ㅇㅇ만화

이것은 ______________ 재미있어요.

4) 남산

여기는 ______________ 서울타워가 있어요.

새로 나온 말

댁　　　서울타워

1. 주말에 할 일을 표시해 봅시다.

1) 

2) 

3) 

4) 

5) 

2. 들은 내용을 써 봅시다.

이 름	옥사나
나 이	＿＿＿＿＿살
좋아하는 것	＿＿＿＿＿＿＿＿
가 족	부모님, ＿＿＿＿＿＿
사는 곳	블라디보스토크

것 곳 블라디보스토크

1. 방학에 할 일에 대해 친구들과 이야기해 봅시다.

방학에 무엇을 할 거예요?
– 여행을 할 거예요.

2. 방학에 할 일을 써 봅시다.

책을 많이 읽을 거예요.

________________________________.

________________________________.

________________________________.

________________________________.

________________________________.

________________________________.

________________________________.

1. 다음은 냉장고에 붙어 있는 메모입니다. 잘 읽어 봅시다.

호세에게

지금 오후 세 시인데 할머니 댁에 가야 해. 6 시쯤에 올 거야. 냉장고에 과일이 있으니까 먹어. 씻고 숙제해.

엄마가

사랑하는 엄마

집에 세 시 반에 왔는데 친구를 만나야 해요. 우리는 학교 운동장에서 축구를 할 거예요. 오늘은 숙제가 없어요. (^_^)
과일은 먹었어요.

호세

2. 읽고 답해 봅시다.

1) 엄마는 어디에 가셨어요?

______________________________.

2) 엄마는 언제쯤 오실 거예요?

______________________________.

3) 호세는 무엇을 할 거예요?

______________________________.

4) 호세는 집에서 무엇을 했어요?

______________________________.

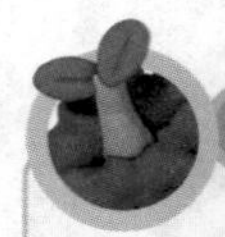

새로 나온 말

냉장고　　숙제하다　　엄마

■ 다음 그림에 알맞은 말을 쓰세요.

◉ 배운 것을 복습해 봅시다.

1. -(으)ㄹ 수 있다 ↔ -(으)ㄹ 수 없다

한국말을 할 수 있어요?

➡ 네, 한국말을 할 수 있어요.

운전을 할 수 있어요?

➡ 아니요, 운전을 할 수 없어요.

김치를 먹을 수 있어요?

➡ 네, ______________________.

술을 마실 수 있어요?

➡ 아니요, ______________________.

춤을 출 수 있어요?

➡ 네, ______________________.

빵을 만들 수 있어요?

➡ ______________________.

2. -는

내가 좋아하는 음식은 불고기예요.

저기 ________ 버스가 공항으로 가요. (오다)

어머니가 ________ 음식은 아주 맛있어요. (만들다)

마리아가 지금 ________ 책은 만화책이에요. (읽다)

3. -고 싶다

피곤해요. 쉬고 싶어요.

날씨가 너무 더워요. 시원한 아이스크림을 먹고 싶어요.

오늘은 일요일이에요. 산에 ________________.

배가 고파요. ________________.

4. -는데

일요일에 수영장에 갔어요.

➡ 수영장에 갔는데 사람이 너무 많았어요.

여름학교에서 한국어를 배워요.

➡ 여름학교에서 ________________ 아주 재미있어요.

친구와 같이 떡볶이를 만들었어요.

➡ 친구와 같이 떡볶이를 ______________ 아주 매웠어요.

어제 산에 갔는데 날씨가 아주 좋았어요.

오늘 학교에 갔는데 ______________________.

내일 어머니가 오시는데 ____________________.

버스를 탔는데 __________________________.

5. -인데

이 연필은 500원인데 아주 좋아요.

이것은 한국 역사책인데 아주 재미있어요.

이 꽃은 장미꽃인데 ______________________.

토요일이 내 생일인데 ____________________.

6. -아서 / 어서

배가 고파서 밥을 먹었어요.

날씨가 __________ 수영을 했어요. (덥다)

시간이 ______ 택시를 탔어요. (없다)

______ 점심을 못 먹었어요. (바쁘다)

7. 못

영어를 할 수 있어요? ➡ 아니요, 못 해요.

케이크를 만들 수 있어요? ➡ 아니요, ______.

춤을 출 수 있어요? ➡ 아니요, ______.

내일 우리 집에 올 수 있어요?

➡ 미안하지만 ______.

8. 안 / 못

날씨가 좋아요. 비가 ____ 와요.

내일은 일요일이에요. 학교에 ____ 가요.

친구가 학교에 안 와서 ____ 만났어요.

미안해요. 시간이 없어서 ____ 가겠어요.

저는 김치를 ____ 좋아해요.

옷이 ____ 예뻐서 바꾸려고 해요.

9. 왜

왜 야구를 안 해요? ➡ 비가 와서 못 해요.

왜 시간이 없어요? ➡ ______________________서 시간이 없어요.

왜 옷을 안 샀어요? ➡ ______________________서 안 샀어요.

왜 고기를 안 먹어요? ➡ ______________________서 안 먹어요.

10. -(으)ㄹ 거예요, -(으)ㄹ 거야

내일 어디에 갈 거예요? ➡ 내일 극장에 갈 거예요.

주말에 무엇을 할 거야? ➡ 주말에 친구를 만날 거야.

집에서 무엇을 할 거예요?

➡ 집에서 책을 ______________________. (읽다)

오늘 무엇을 할 거야?

➡ 오늘은 피곤해서 집에서 ______________________. (쉬다)

주말에 무엇을 할 거야?

➡ 피자를 ______________________. (만들다)

오늘 저녁에 무엇을 할 거예요?

➡ 제 친구에게 편지를 ______________________. (쓰다)

11. 다음을 잘 읽어 보세요. 그리고 친구와 같이 한 사람은 마리아, 또 한 사람은 호세가 되어서 배운 문형을 이용하여 역할 놀이를 해 봅시다.

마리아

나는 이번 주말에 영화를 보려고 합니다.
호세와 같이 보고 싶습니다.

호세

나는 이번 주말에 아주 바쁩니다.
숙제도 해야 하고 친구에게 편지도 써야 합니다.

보기

마리아 : 이번 주말에 영화를 보고 싶어.
같이 극장에 갈 수 있어?
호 세 : 미안하지만 못 가.
마리아 : 왜 못 가?
⋮

한국의 돈

◉ 한국의 돈에 대해 알아봅시다.

1. 한국의 동전에 어떤 그림이 있는지 알아봅시다.

〈 한국의 동전 〉

2. 한국의 지폐에 어떤 그림이 있는지 알아봅시다.

⟨ 한국의 지폐 ⟩

3. 여러분이 사는 나라의 돈에는 어떤 그림이 있는지 이야기해 봅시다.

9

내일은 마리아의 생일입니다

1. 지난 생일에 있었던 일을 말해 봅시다.

2. 생일 파티를 준비할 때에 무엇이 필요한지 말해 봅시다.

학습 목표

■ 사실 나열하기　　■ 수식 표현하기(3)

내일은 마리아의 생일입니다.

우리는 교실에서 마리아의 생일 파티를 하려고 합니다.

영애는 케이크도 준비하고 풍선도 준비했습니다.

우리는 마리아에게 줄 카드도 만들었습니다.

그리고 생일 축하 노래를 연습했습니다.

"생일 축하합니다. 생일 축하합니다.
사랑하는 마리아, 생일 축하합니다."

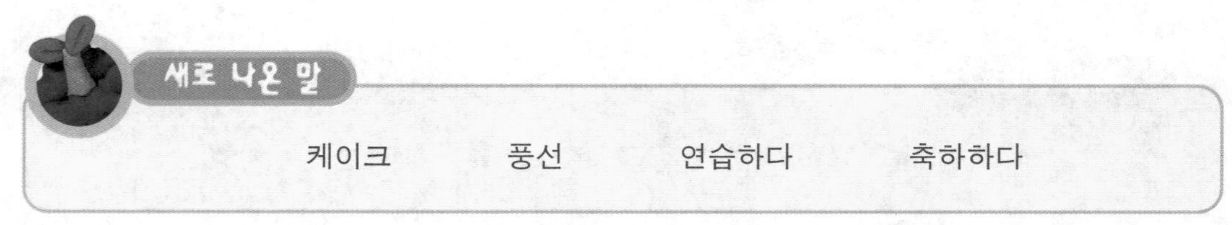

1. 케이크도 준비하고 풍선도 준비합니다.

우리는 노래도 부르고 춤도 춥니다.

2. 마리아에게 줄 카드를 만들었습니다.

생일 파티에서 먹을 음식입니다.

1. (   ) 안의 말을 넣어 문장을 만들어 봅시다.

1) 가 : 생일 파티에서 무엇을 해요? (노래, 춤)

나 : 노래도 부르고 춤도 춰요.

2) 가 : 여름학교에서 무엇을 배웠어요? (태권도, 한국 무용)

나 : 태권도도 배우고 ________________________.

3) 가 : 여름방학에 무엇을 할 거야? (수영장, 여행)

나 : 수영장에도 가고 ________________________.

4) 가 : 일요일에 무엇을 했어? (자전거, 농구)

나 : ____.

2. 질문에 맞게 대답해 봅시다.

1)

가 : 이것이 뭐예요?

나 : 마리아에게 줄 생일 카드예요.

2)

가 : 이것이 뭐예요?

나 : 내일 산에서 ______________

______________________.

3)

가 : 이것이 뭐예요?

나 : 친구에게 ______________

______________________.

4)

가 : 이것이 뭐예요?

나 : 내일 파티에서 ______________

______________________.

■ 잘 듣고 관계있는 것에 표시해 봅시다.

1.

1) 

2) 

3) 

2.

1) 

2) 

3) 

1. 내 생일 파티를 하려고 합니다. 무엇을 준비할지 이야기해 봅시다.

무엇을 준비할 거야?
- 친구에게 줄 초대장을 만들 거야.

준비할 물건

초대장

초대할 친구

2. 생일 파티에서 하고 싶은 것에 대해 이야기해 봅시다.

노래도 부르고 이야기도 합니다.

새로 나온 말

초대장

1. 읽어 봅시다.

작년 생일에 나는 아버지와 같이 백두산에 갔습니다.

엄마는 바빠서 함께 갈 수 없었습니다.

백두산은 아주 높은 산입니다. 백두산 위에는 '천지'라는 호수가 있는데, 물이 깨끗합니다. 나는 천지 물에 손도 씻고 아버지와 같이 사진도 찍었습니다. 엄마에게 드릴 선물도 샀습니다. 아주 즐거운 생일이었습니다.

2. 글을 읽고 답해 봅시다.

1) 영애는 언제 백두산에 갔습니까?

______________________________.

2) 영애는 누구와 같이 갔습니까?

______________________________.

3) 백두산에는 무엇이 있습니까?

______________________________.

4) 백두산에서 무엇을 했습니까?

______________________________.

작년 백두산 천지 물 깨끗하다 호수 사진을 찍다 드리다

▣ 친구에게 줄 초대장을 만들어 봅시다.

초 대 장

______________ 에게

다음 주 ______ 요일이 내 생일인데, ______________

____

____

______________ 가

10

경주에 가 봤는데 아주 좋았어

1. 지금까지의 여행 중에서 가장 기억에 남는 곳을 말해 봅시다.

2. 여행 중에 있었던 일 중에서 기억에 나는 일을 말해 봅시다.

학습 목표

■ 시도 표현하기 ■ 준말 사용하기

호세 : 다음 주에 부모님이 오시는데 같이 여행을 가려고 해.
　　　어디가 좋아?
유진 : 경주에 한번 가 봐.
호세 : 경주에서 뭘 볼 수 있어?
유진 : 경주는 오래된 도시인데 볼 게 아주 많아.
호세 : 경주에 어떻게 가?
유진 : 기차를 타고 가야 해. 서울역에 전화해서 기차 시간을
　　　알아볼 수 있어.

새로 나온 말

경주　-아/어 보다　오래되다　기차　알아보다

1. 작년에 경주에 **가 보**았어요.
   김치를 먹**어 보**았어요.
2. 이것이 무엇입니까? → **이게 뭐**예요?
   시장에서 무엇을 샀어요? → 시장에서 **뭘** 샀어요?

1. 다음 문장을 1)과 같이 만들어 봅시다.

1) 제주도는 경치가 좋은 곳이야.

➡ 한번 가 보고 싶어요.

2) 비빔밥은 맵지만 맛있는 음식이야.

➡ 한번 ____________ 싶어요.

3) 서울에도 볼 게 많이 있어요.

➡ 한번 ____________ 싶어요.

4) 우리 누나는 키도 크고 운동도 잘 해.

➡ 한번 ____________________ 싶어.

2. 알맞은 말을 넣어 봅시다.

1) 이것이 한국어 책입니다.

➡ 이게 한국어 책입니다.

2) 백두산은 구경할 것이 많습니다.

➡ 백두산은 구경할 ________ 많습니다.

3) 생일 선물로 무엇을 받고 싶어요?

➡ 생일 선물로 ________ 받고 싶어요?

4) 이것이 무엇입니까?

➡ ____________________예요?

새로 나온 말

경치　　　구경하다

▣ 잘 듣고 관계있는 것끼리 연결해 봅시다.

1. 경주 •	• 무서운 영화
2. 여름학교 •	• 슬픈 영화
3. 영화 •	• 한국 무용
	• 한국 역사

1. 여행을 할 때 무엇을 준비해야 할지 말해 봅시다.

2. 더 필요한 것을 이야기해 봅시다.

2. 그동안 여행해 본 곳에 대해 친구에게 물어보고 결과를 적어 봅시다.

어디를 가 봤어?	➡ 알마티에 가 봤어.
알마티가 어디에 있어?	➡ 카자흐스탄에 있어.
알마티는 무엇이 유명해?	➡ 알마티는 사과의 도시야.
뭘 타고 가야 해?	➡ 비행기를 타고 갈 수 있어.

알마티　카자흐스탄　사과의 도시　비행기

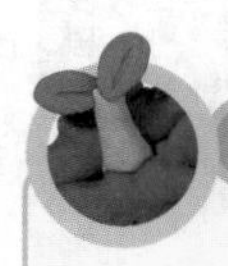

새로 나온 말

비행기

1. 읽어 봅시다.

1)

날씨도 좋고 경치도 좋은 곳입니다.
파란색 바다가 아름답습니다.
한라산에 한번 올라가 보세요.
아름다운 자연을 느껴 보세요.
여행은.... 우리의 섬 제주도로 오세요.

2)

1000년의 역사
옛날과 오늘이 함께 사는 도시

한번 오셔서 역사의 소리를 들어 보세요.
경주로 오세요.

2. 글을 읽고 답해 봅시다.

1) 제주도에서 무엇을 볼 수 있습니까?

2) 제주도는 무엇이 좋습니까?

3) 경주는 어떤 도시입니까?

4) 여러분은 어디로 가고 싶습니까?

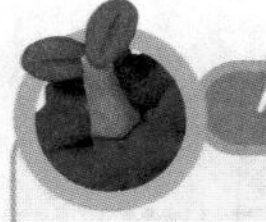

새로 나온 말

올라가다 자연 느끼다 소리 섬

■ 써 봅시다.

내가 가 보고 싶은 곳

나는 ______________________ 에 가 보고 싶어요.

11

부모님을 만나러 가려고 해요

1. 교통수단들에 대해 말해 봅시다.

2. 여행을 갈 때 어떤 교통수단을 이용해서 가고 싶은지 말해 봅시다.

학습 목표

■ 목적 표현하기 ■ 확인 표현하기

호 세 : 선생님, 공항에 어떻게 가요?

선생님 : 왜 공항에 가려고 해?

호 세 : 멕시코에서 엄마, 아빠가 이번 토요일에 오세요.

선생님 : 인천국제공항은 멀어서 혼자 못 가.

호 세 : 부모님을 만나러 가고 싶어요. 어떻게 하지요?

선생님 : 몇 시 비행기지?

호 세 : 토요일 오후 여섯 시 반에 도착하세요.

선생님 : 그러면 토요일에 나하고 같이 가.

호 세 : 선생님, 고맙습니다.

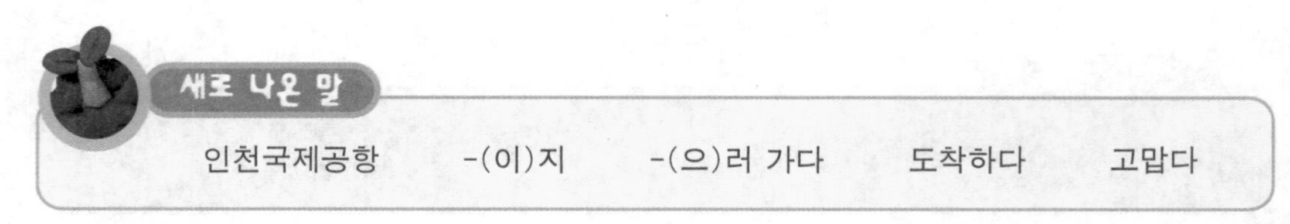

새로 나온 말

인천국제공항 -(이)지 -(으)러 가다 도착하다 고맙다

1. 부모님을 만나러 **갑니다**.
   아빠, 엄마가 호세를 만나러 **옵니다**.
2. 몇 시 비행기**지요**?
   오늘이 무슨 요일**이지요**?
3. 저 분이 선생님**이지요**?
   제주도 경치가 아름답**지요**?
   오늘 친구를 만나**지요**?

1. 그림을 보고 문장을 완성해 봅시다.

1) 

바실리는 서점에 책을 사러 갑니다.

2) 

유진은 백화점에 ________________

갑니다.

3) 

마리아는 여름학교에 ____________

____________________ 왔습니다.

4) 

호세 가족은 한국에 ____________

____________________________.

2. 다음 대화를 완성해 봅시다.

1) 가 : 저 사람이 누구지요?

나 : 호세 누나예요.

2) 가 : 이게 얼마지요?

나 : ______________________________.

3) 가 : ______________________________?

나 : 팔월 삼십 일일이에요.

4) 가 :왜 아기가 울지요?

나 : ______________________________.

3. 다음 대화를 1)과 같이 완성해 봅시다.

1) 가 : 여기가 서울이지요?

나 : 네, 서울이에요.

2) 가 : 취미가 수영이지?

나 : 아니, 내 취미는 ____________________.

3) 가 : 백두산은 아주 ____________?

나 : 네, 아주 높아요.

4) 가 : 선생님이 호세와 같이 ____________________?

나 : 네, 같이 공항에 갑니다.

새로 나온 말

서점 아기

▣ 잘 듣고 답해 봅시다.

1. 공원에 왜 갑니까?

1) 자전거 타러

2) 친구 만나러

2. 부모님은 언제 멕시코에 가십니까?

1) 이번 주 토요일

2) 다음 주 금요일

3. 왜 백화점에 갑니까?

1) 가방을 사러

2) 가방을 바꾸러

1. 대화하면서 친구와 같이 주사위 놀이를 해 봅시다.

오늘이 <u>무슨 요일이지요</u>? - 월요일이에요.

오늘은 덥<u>지요</u>? - 네, 더워요.

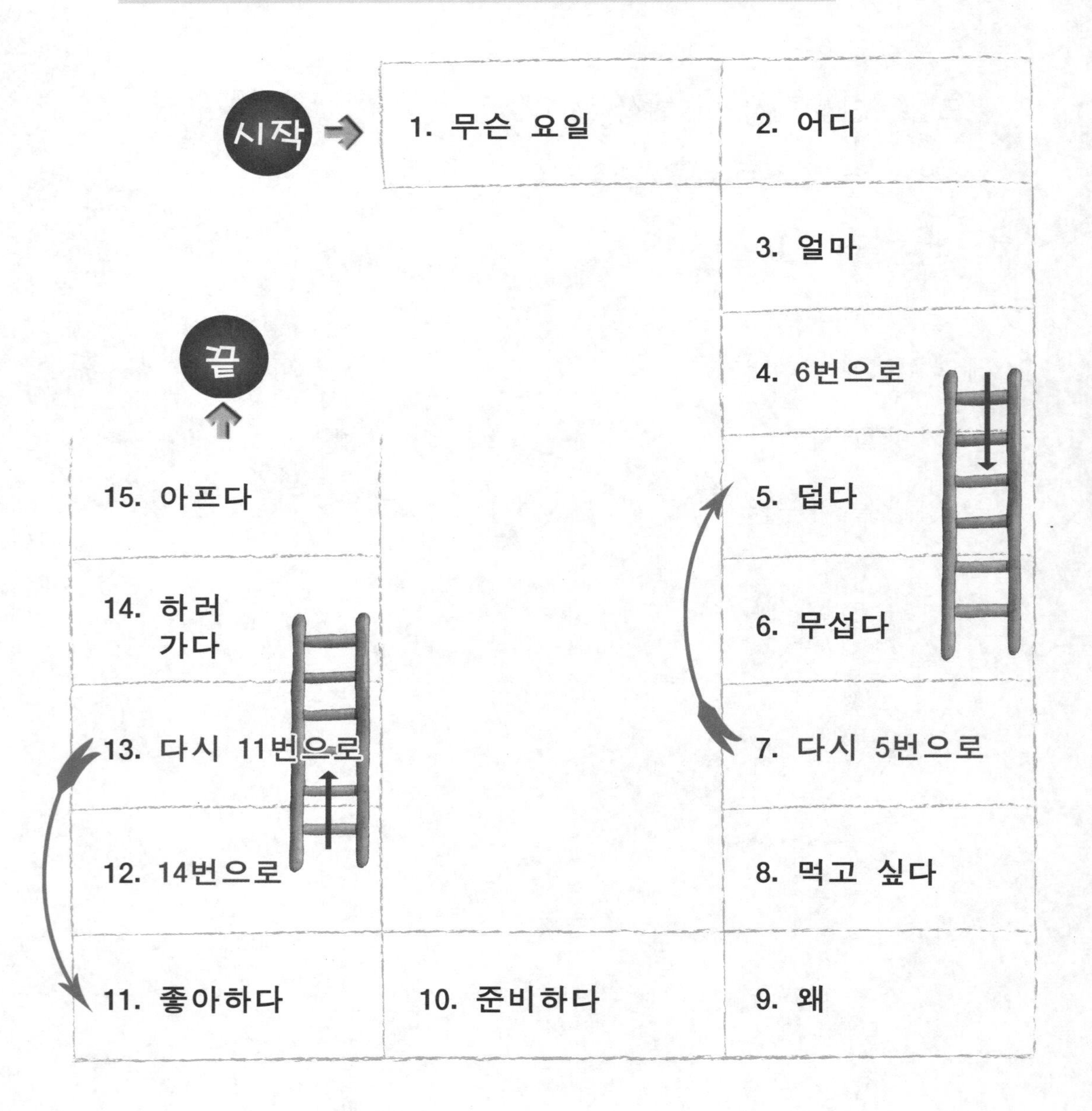

2. 이야기한 결과를 간단히 써 봅시다.

1) 가 : 오늘이 무슨 요일이지요?

나 : 월요일이에요.

2) 가 : ____________________?

나 : ____________________.

3) 가 : ____________________?

나 : ____________________.

4) 가 : ____________________?

나 : ____________________.

5) 가 : ____________________?

나 : ____________________.

1. 읽어 봅시다.

8월 18일 토요일 비

오늘 멕시코에서 아빠, 엄마, 로사 누사가 왔습니다.
나는 선생님과 같이 인천국제공항으로 갔습니다.
공항은 아주 넓고 사람도 많아서 복잡했습니다.
아빠, 엄마는 멕시코 비행기를 타고 오셨습니다.
비행기는 오후 여섯 시 반에 도착했는데, 아빠, 엄마는 일곱 시에 밖으로 나오셨습니다.
나는 너무 기뻐서 눈물이 났습니다. 로사 누나도 나를 보고 울었습니다. 우는 우리를 보면서 아빠, 엄마는 웃었습니다.

2. 글을 읽고 답해 봅시다.

1) 호세는 왜 공항에 갔습니까?

____.

2) 공항은 어땠습니까?

____.

3) 호세는 몇 시에 가족을 만났습니까?

____.

4) 호세는 가족을 보고 어떻게 했습니까?

____.

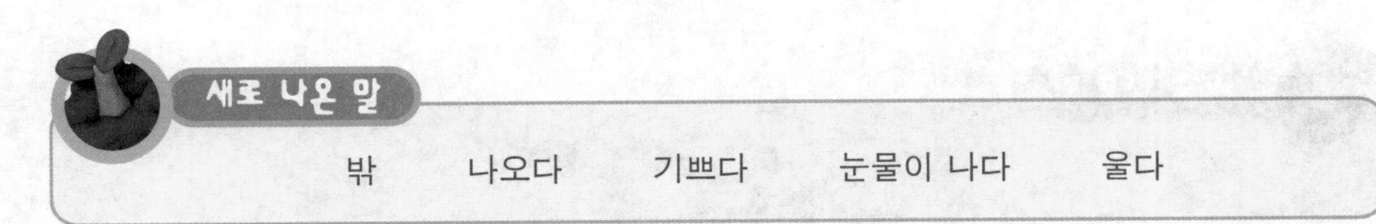

■ 그림을 보고 다음과 같이 써 봅시다.

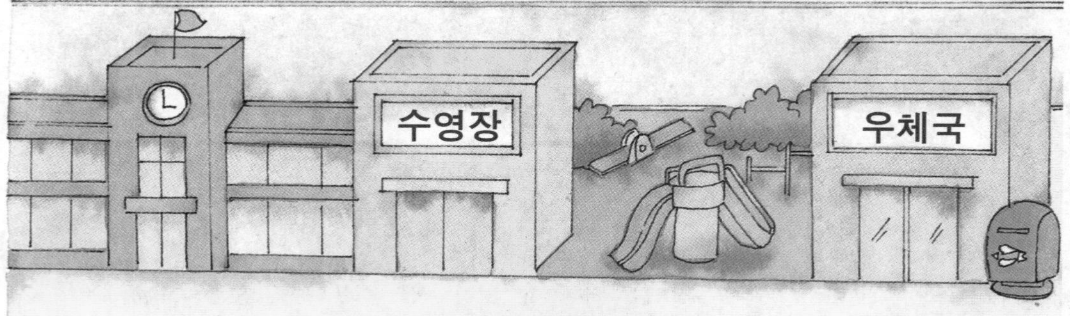

1. 약을 사러 가요.

2.

3.

4.

5.

6.

7.

약

12

서울은 정말 복잡하군요

1. 여러분은 어떤 곳에서 살고 싶은지 말해 봅시다.

2. 도시 생활과 시골 생활의 좋은 점과 좋지 않은 점을 말해 봅시다.

학습 목표

■ 감탄 표현하기 ■ 이유 표현하기

호세 : 아빠, 오늘은 시티투어 버스를 탈까요?

아빠 : 시티투어 버스가 어디로 가지?

호세 : 광화문에서 출발하는데 서울 시내를 모두 구경할 수 있어요.

(버스 안)

로사 : 아빠, 서울은 정말 복잡하군요. 이번 정류장은 어디예요?

아빠 : 남대문시장인데 사고 싶은 물건 없어?

호세 : 저는 축구공을 사고 싶어요.

로사 : 예쁜 옷을 많이 사 주세요. 남대문시장은 싸니까요.

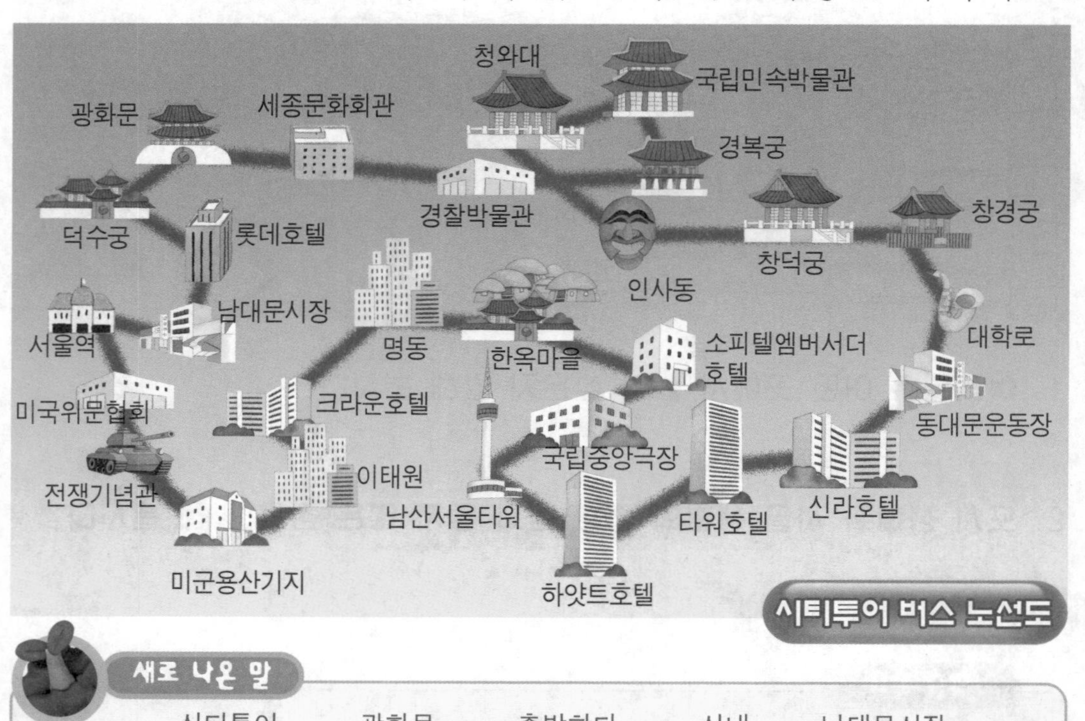

새로 나온 말

시티투어 광화문 출발하다 시내 남대문시장
-군요 정류장 축구공 옷 싸다 -(으)니까요

1. 날씨가 아주 좋**군요**.
   이 옷이 아주 싸**군요**.
2. 광화문에 가려고 해요. 무엇을 타야 해요?
   - 지하철을 타세요. 지하철이 빠르**니까요**.

1. (　　) 안의 말을 넣어 문장을 만들어 봅시다.

1) 가 : 이 사과 얼마예요?
   나 : 한 개에 1,000원이에요.
   가 : 아주 (비싸다) ____________________.

2) 가 : 내일 시간 있어요?
   나 : 아니요, 숙제도 해야 하고 친구도 만나야 해요.
   가 : 아주 (바쁘다) ____________________.

3) 가 : 저 빌딩은 몇 층이에요?
   나 : 63층이에요.
   가 : 아주 (높다) ____________________.

2. 다음 문장을 1)과 같이 만들어 봅시다.

1) 가 : 내일은 뭘 할 거예요?

나 : 집에서 쉴 거예요. 피곤하니까요.

2) 가 : 언제 만날까요?

나 : 일요일에 만나요.

(학교에 안 가다) ____________________.

3) 가 : 무슨 컴퓨터를 살까요?

나 : 이 컴퓨터를 사세요. (빠르다) ____________________.

4) 가 : 뭘 타고 갈까요?

나 : 택시를 타고 가요. (멀다) ____________________.

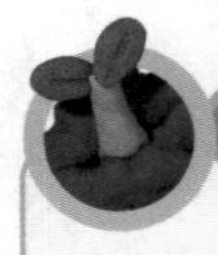

새로 나온 말

빌딩

▣ 잘 듣고 알맞은 답을 골라 봅시다.

1. 여기는 어디입니까?

   1) 남대문

   2) 인사동

   3) 북한산

2. 왜 인형을 사려고 해요?

   1) 친구 생일이니까요.

   2) 시간이 많으니까요.

   3) 어머니가 좋아하시니까요.

새로 나온 말

인사동

1. 친구에게 물어보고 써 봅시다.

물 음 \ 이 름		
1) 키가 얼마예요?		
2) 가족이 몇 명이에요?		
3) 100m를 몇 초에 뛸 수 있어요?		
4) 친구가 몇 명 있어요?		
5) 오늘은 날씨가 어때요?		

2. 친구와 이야기한 결과를 보고 '-군요'를 써서 이야기해 봅시다.

새로 나온 말

초 뛰다

1. 읽어 봅시다.

나는 어제 친구 집에 갔습니다. 친구 집은 아주 가까웠습니다. 친구 방에는 큰 시계가 있었습니다. 책상 위에는 예쁜 꽃이 있었습니다. 친구 어머니가 과자와 주스를 주셨습니다. 과자가 아주 맛있었습니다.

2. 앞의 글을 읽고 그림을 보면서 '-군요'를 이용해서 이야기해 봅시다.

1) 

집이 아주 가깝군요.

2) 

시계가 아주 ______________.

3) 

꽃이 아주 ______________.

4) 

과자가 아주 ______________.

새로 나온 말

가깝다

■ 그림을 보고 '-니까요'를 써 봅시다.

1. 

공부를 해야 해요.

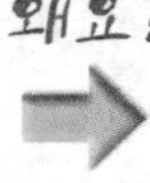

내일 시험을 보니까요.

2. 

내일 학교에 안 가요.

______________________________.

3. 

공항에 가야 해요.

______________________________.

4. 

수영장에 갈까요?

______________________________.

새로 나온 말

시험을 보다

◉ 배운 것을 복습해 봅시다.

1. -도 -고 -도 -ㅂ/습니다

생일 파티에서 춤도 추고 노래도 불렀습니다.

어제 무엇을 했어요? ➔ 공부도 하고 축구도 했습니다.

겨울 방학에 무엇을 할 거야? (스케이트를 타다, 여행을 하다)

➔ ______________________________.

주말에 무엇을 했어? (백화점에 가다, 놀이공원에 가다)

➔ ______________________________.

내일 뭘 할거야? (빵을 만들다, 과자를 만들다)

➔ ______________________________.

동물원에서 뭘 했어? (코끼리를 보다, 사자를 보다)

➔ ______________________________.

2. -(으)ㄹ

마리아에게 줄 카드를 만들었어요.

이게 뭐예요? ➔ 내일 산에서 먹을 음식이에요.

이게 뭐예요? (주다) ➡ 마리아에게 _____ 선물이에요.

저것이 뭐야? (입다) ➡ 내일 파티에서 ________ 옷이에요.

이것이 뭐예요? (읽다) ➡ 내일 도서관에서 ________ 책이에요.

3. -아 / 어 보다

경주에 갔습니다. ➡ 경주에 가 보았습니다.

김치를 먹었습니다. ➡ 김치를 먹어 보았습니다.

게임을 했습니다. ➡ 게임을 해 보았습니다.

바실리는 중국 음식을 먹었습니다.

➡ 바실리는 중국 음식을 ________________________.

마리아는 기차를 탑니다.

➡ 마리아는 ______________________________.

유진은 한국 음식을 만들었습니다.

➡ 유진은 ____________________________________.

4. 이게, 뭘, 뭐

이것이 멕시코 모자입니다. ➡ 이게 멕시코 모자입니다.

백화점에서 무엇을 사고 싶어요?

➡ 백화점에서 뭘 사고 싶어요?

이것이 무엇이에요? ➡ ____________________?

이것은 비빔밥입니다. ➡ ____________________.

우리 집에는 먹을 것이 많습니다.

➡ ________________________________.

무엇을 먹고 싶어요? ➡ ____________________?

무엇이 제일 좋아요? ➡ ____________________?

5. -(으)러 가다 〔오다〕

왜 백화점에 갑니까? (운동화를 바꾸다)

➡ 운동화를 바꾸러 갑니다.

왜 도서관에 갑니까? ➡ 책을 읽으러 갑니다.

왜 공항에 갑니까? (부모님을 만나다)

➡ ____________________ 갑니다.

왜 가게에 옵니까? (오렌지를 사다)

➡ ________________________________.

왜 문방구에 갑니까? (공책을 사다)

➡ ______________________________.

6. -지요?

저 사람이 누구예요? ➡ 저 사람이 누구지요?

점심 먹었지요? ➡ 네, 점심 먹었지요.

여기가 어디예요? ➡ ______________________________?

축구를 좋아해요? ➡ ______________________________?

취미가 뭐지요? ➡ 제 취미는 ______________________________?

집에 가고 싶지요? ➡ 네, ______________________________?

7. -군요

날씨가 아주 좋아요. ➡ 날씨가 아주 좋군요.

영화가 슬퍼요. ➡ 영화가 슬프군요.

가 : 이 사과는 얼마예요?

나 : 한 개에 5,000원이에요.

가 : 아주 비싸군요.

가 : 가족이 몇 명이에요?

나 : 10명이에요.

가 : ______________________.

가 : 내일 시간 있어요?

나 : 아니요, 숙제도 해야 하고 컴퓨터 게임도 해야 해요.

가 : 아주 ______________.

8. -(으)니까요

지하철을 타세요. 지하철이 빠르니까요.

옷을 많이 입으세요. 추우니까요.

언제 만날까요? (시간이 있다)

➡ 토요일에 만나요. ____________________.

무슨 선물을 살까요? (예쁘다)

➡ 한국 인형을 사세요. ________________.

어디에서 공책을 살까요? (값이 싸다)

➡ 문방구에서 사세요. __________________.

9. 호세와 바실리는 이번 주말에 친구들과 같이 여행을 갈 것입니다. 여행 계획을 세워 봅시다.

먹을 음식	과자, 음료수 …
입을 옷	모자, 비옷, 바지 …
읽을 책	만화책 …
같이 갈 친구	민수, 마리아 …
만날 시간	토요일 아침 10시
만날 곳	종합운동장 앞

보 기

바실리 : 뭘 준비할까?

호 세 : 먹을 음식과 입을 옷을 준비해야 해.

바실리 : 뭘 살까?

호 세 : 과자도 사고 음료수도 사.

⋮

바실리

호세

송 편

◉ 송편은 추석에 먹는 한국 고유의 떡입니다.

1. 가족과 함께 송편을 빚어 봅시다.

2. 송편을 만들어 봅시다.

1) 반죽과 속을 준비한다.

2) 송편을 빚는다. 반죽을 동그랗게 만들어 가운데 속을 넣고 아물린다.

3) 솔잎을 깔고 송편을 찐다.

4) 송편을 찬물에 헹궈 참기름을 바른다.

※ 반죽 : 쌀가루에 뜨거운 물을 넣어 오래 치대어 만든다.
속 : 송편이나 만두를 만들 때 맛을 내기 위해 익히기 전에 속에 넣는 여러 가지 재료(팥이나 콩 · 대추 · 밤을 사용한다)

3. 찰흙이나 밀가루 반죽을 이용해 송편을 빚어 누가 더 예쁘게 빚나 내기 해 봅시다.

13

배가 아파요

1. 아픈 경험 중에서 가장 기억에 남는 일을 이야기해 봅시다.

2. 병원에 가 본 경험을 이야기해 봅시다.

학습 목표

- 신체 명칭 익히기
- 추측 표현하기

의사 : 어떻게 오셨어요?

호세 : 배가 아파서 왔어요.

의사 : 언제부터 아팠어요?

호세 : 어젯밤부터 아팠어요.

의사 : 어제 무엇을 먹었어요?

호세 : 아이스크림하고 수박을 먹었어요.

의사 : 한번 봅시다. 여기가 아파요?

호세 : 아야! 아파요. 내일 축구하러 갈 수 있을까요?

의사 : 오늘 약을 먹고 쉬세요. 내일은 괜찮을 거예요.

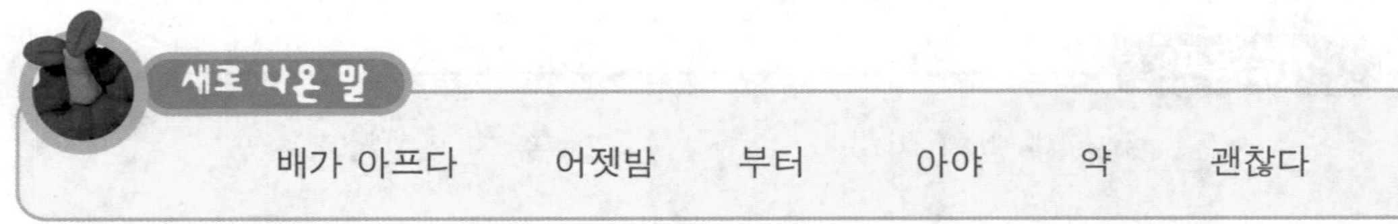

1. 날씨가 좋을**까요**?
   - 아니요, 좋지 않을 **거예요**. 비가 올 **거예요**.
2. 언제**까지** 와야 해요?
   - 두 시**까지** 와야 해요.

   언제**부터** 언제**까지** 방학이에요?
   - 7월 20일**부터** 8월 22일**까지** 방학이에요.

1. 그림을 보고 알맞은 말을 넣어 봅시다.

1)

가 : 마리아가 집에 있을까요?

나 : 네, 집에 ______________.

2)

가 : 그 영화가 재미있을까요?

나 : 네, ______________.

3)

가 : 한국어 공부가 ______________?

나 : 아니요, 어렵지 않을 거예요.

4)

가 : 호세가 컴퓨터 게임을 __________?

나 : 아니요, ______________

______________ 수영을 할 거예요.

2. 다음 문장을 1)과 같이 만들어 봅시다.

1) 가 : 어제 몇 시부터 잤어요?

나 : 9시부터 잤어요.

2) 가 : 몇 시부터 몇 시까지 태권도를 배워? (3시~4시)

나 : ______________________.

3) 가 : 몇 시까지 공항에 가야 해 ? (6시 전)

나 : ______________ 공항에 가야 해.

4) 가 : ______________________?

나 : 내일까지 숙제를 할 거예요.

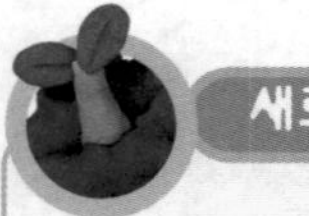

새로 나온 말

까지

1. 잘 듣고 알맞은 답을 골라 봅시다.

1) 이 백화점은 몇 시까지 합니까?

㉮ 6시 반　　㉯ 7시　　㉰ 7시 30분

2) 이 병원의 점심 시간은 몇 시부터 몇 시까지입니까?

㉮ 12시 ~ 1시　　㉯ 12시 30분 ~ 1시 30분

㉰ 12시 30분 ~ 2시

2. 잘 듣고 맞으면 ○표, 틀리면 ×표를 해 봅시다.

이 영화는 어제부터 했습니다. (　　　)

병원

1. 친구와 같이 짝이 되어 빈칸에 들어갈 말을 서로 물어보고 써 봅시다.

서울 백화점은 몇 시부터 합니까?

서울 백화점
(　　　) ~ 19:00
월요일은 쉽니다.

솔 병원
09:00 ~ (　　　)
점심 시간:12:00~(　　)

참 은행
(　　　) ~ 16:30
토요일:09:30~13:00

하나 수영장
07:00 ~ (　　　)

우체국
(　　　) ~ 16:00
토요일:09:00~13:00

우리 빵집
07:00 ~ (　　　)
일요일은 쉽니다.

2. 친구와 같이 짝이 되어 빈칸에 들어갈 말을 서로 물어보고 써 봅시다.

- 10시 30분부터 합니다.

서울 백화점
10:30 ~ (   )
(   )요일은 쉽니다.

솔 병원
(   ) ~ 17:30
점심시간: 12:00~13:30

참 은행
09:30 ~ (   )
토요일: (   )~13:00

하나 수영장
07:00 ~ 21:30

우체국
09:00 ~ (   )
토요일: (   )~13:00

우리 빵집
(   ) ~ 20:00
(   )요일은 쉽니다.

새로 나온 말

은행 우체국 빵집

1. 우리 몸을 알아봅시다.

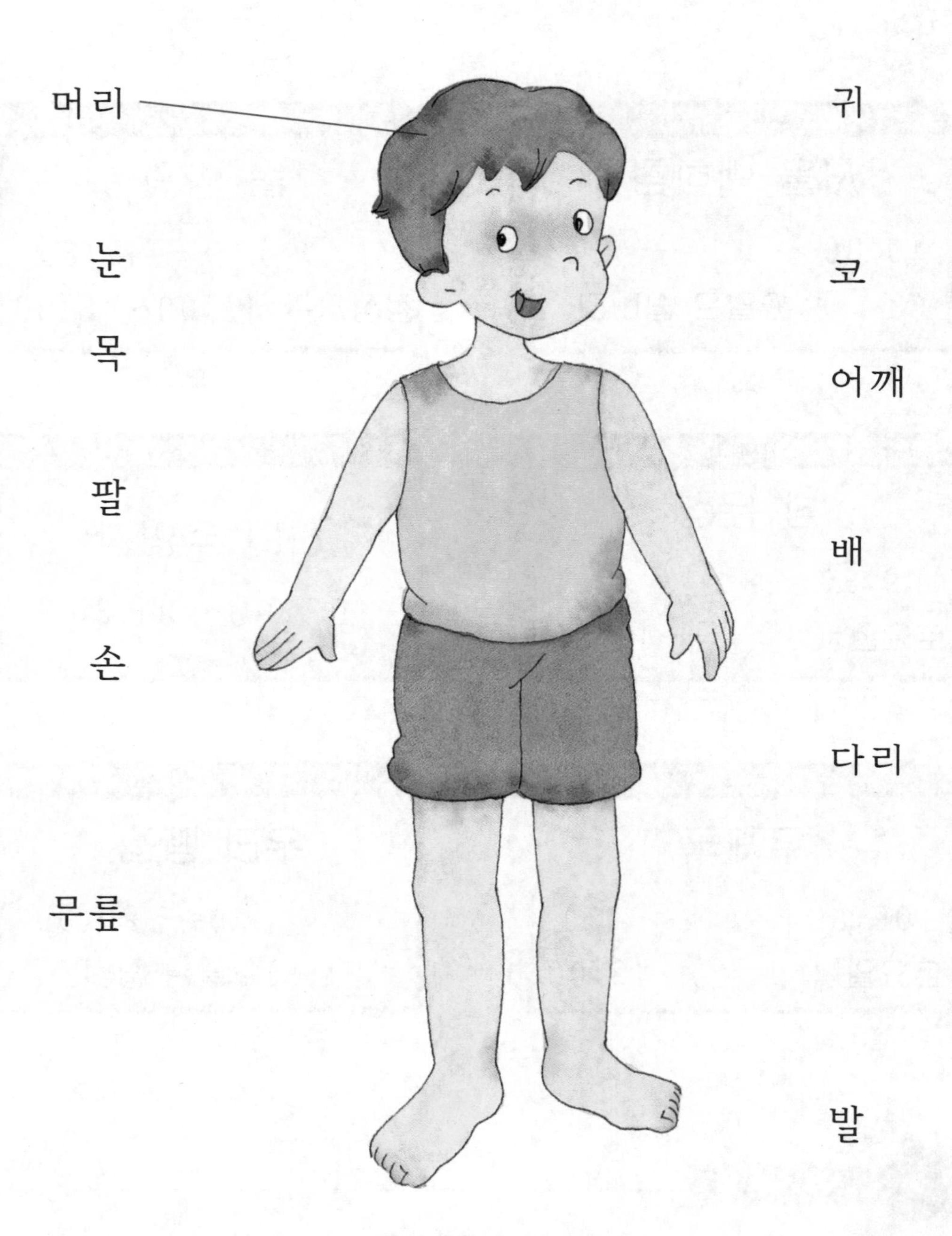

2. 어디가 아플까요? 그림을 보고 읽어 보세요.

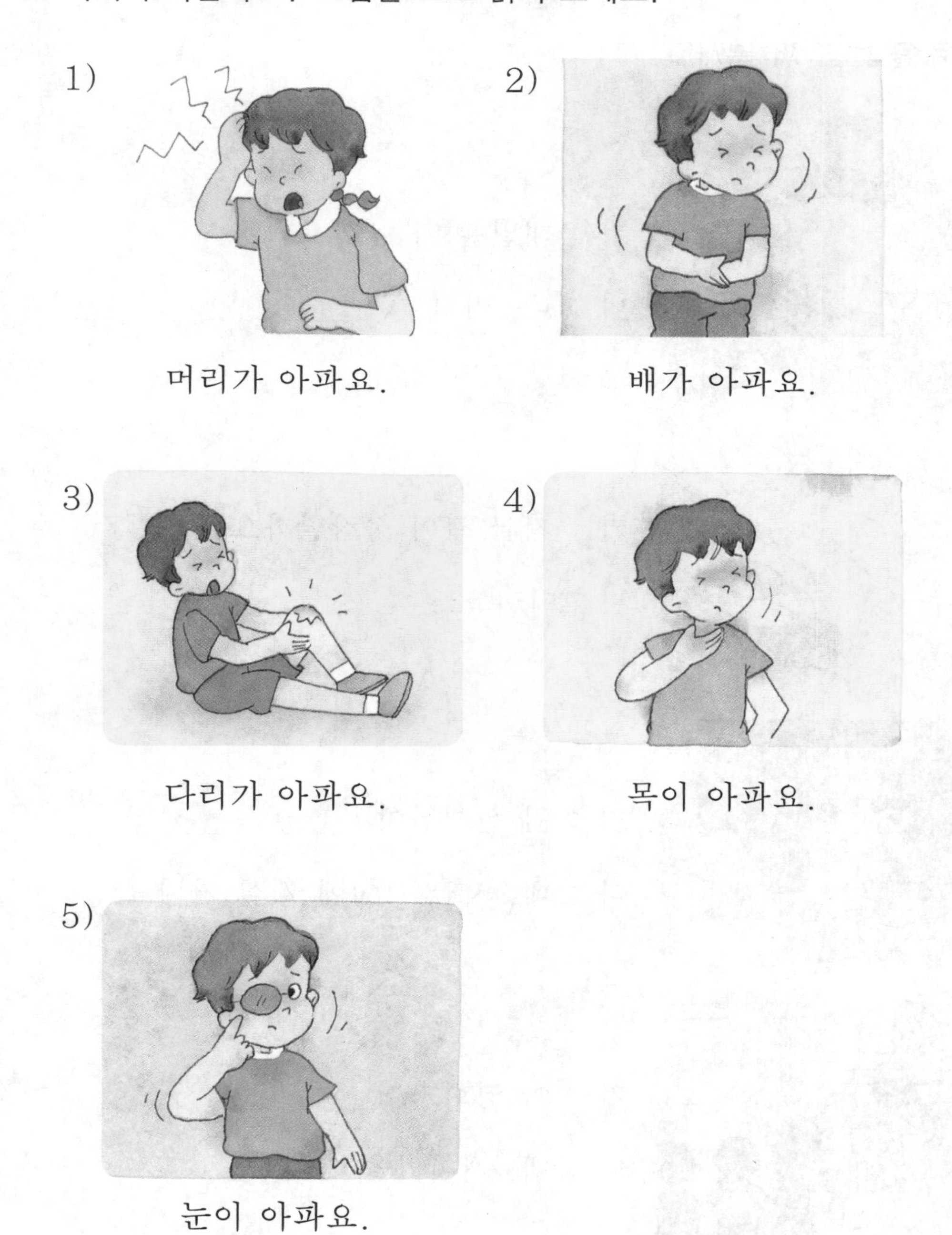

1) 머리가 아파요.

2) 배가 아파요.

3) 다리가 아파요.

4) 목이 아파요.

5) 눈이 아파요.

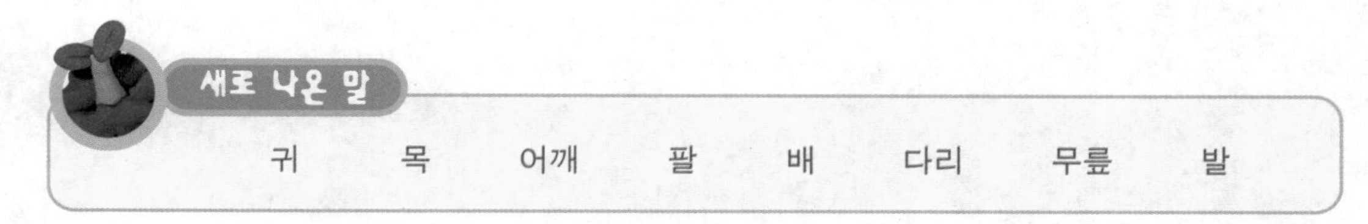

■ 그림을 보고 써 봅시다.

1.

가 : 내일 비가 올까요?

나 : 네, 비가 ________________.

2.

가 : 지금 길이 복잡할까요?

나 : 아니요, ________________.

3.

가 : 김 선생님이 ________________?

나 : 네, 지금 학교에 계실 거예요.

4.

가 : 이 영화가 ________________?

나 : 네, 재미있을 거예요.

14

내가 같이 가 줄게

1. 그림을 보고 무엇을 하고 있는지 이야기해 봅시다.

2. 다른 사람을 도와준 경험에 대해 이야기해 봅시다.

학습 목표

- 봉사 표현하기
- 의지 표현하기(2)
- 이어진 문장 만들기(5)
- 동사 활용 익히기(3)

유진 : 배는 좀 어때?

호세 : 병원에 갔는데 지금도 많이 아파.

유진 : 약 먹었어?

호세 : 응, 약은 먹었어.

유진 : 많이 아프면 다시 병원에 가 봐. 걸을 수 있어?

호세 : 너무 아파서 혼자 못 가겠어.

유진 : 그러면 내가 같이 가 줄게.

호세 : 고마워.

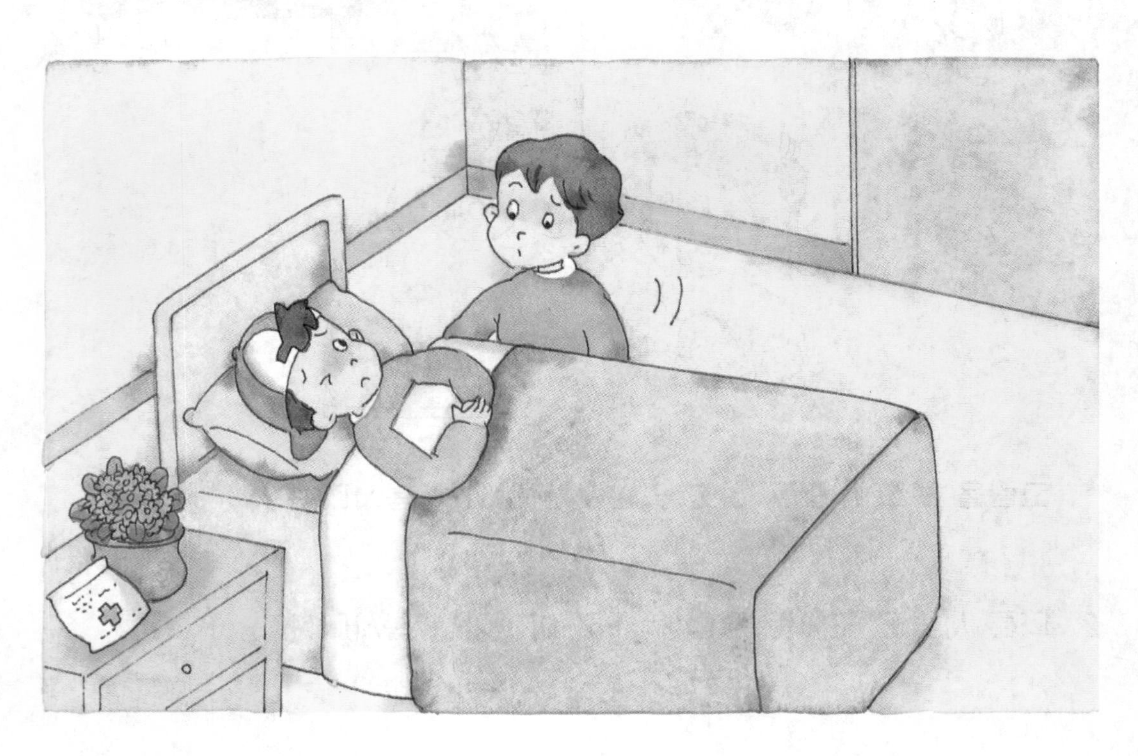

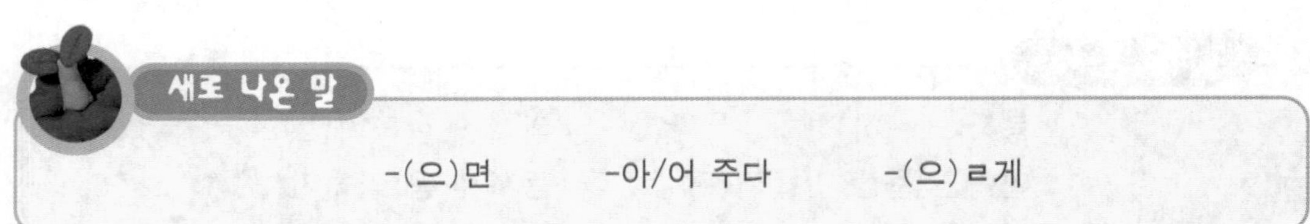

새로 나온 말

-(으)면　　-아/어 주다　　-(으)ㄹ게

1. 공부가 어려워요?
   - 네, 좀 가르**쳐 주세요**.
2. 누가 노래할 거예요?
   - 제가 **할게요**.
3. 내일 비가 오**면** 어떻게 할 거예요?
   - 비가 오**면** 집에서 텔레비전을 볼 거예요.
4. 다리가 아파서 **걸을** 수 없어요.
   나는 음악을 자주 **들어**요.

1. '-아/어 주다'를 써서 문장을 만들어 봅시다.

1) 태권도를 배우고 싶어요.

태권도를 좀 (가르치다) ______________________.

2) 냉면을 먹고 싶어요.

냉면을 (사다) ______________________.

3) 말이 너무 빨라요.

좀 천천히 (이야기하다) ______________________.

4) 이 가방이 너무 무거워요.

좀 (돕다) ______________________.

2. '-(으)ㄹ게요'를 써서 문장을 만들어 봅시다.

1) 가 : 내일 일찍 오세요. 나 : 네, 일찍 올게요.

2) 가 : 오늘 밤에 전화하세요. 나 : 네, ______________________.

3) 가 : 집에서 한국어 공부하세요.

나 : 네, ________________________.

4) 가 : 한국 무용을 가르쳐 주세요.

나 : 네, ________________________.

3. '-(으)면'을 써서 문장을 만들어 봅시다.

1) 배가 아프면 병원에 ________________________.

2) ________________________면 기분이 좋을 거예요.

3) 날씨가 좋으면 ________________________.

4) ________________________면 선생님께 전화할 거예요.

4. '걷다, 듣다'를 알맞게 바꾸어 봅시다.

1) 가 : 날씨가 좋은데 같이 걸을까요?

나 : 네, 같이 걸어요.

2) 가 : 이 노래 어때요?

나 : (듣다) ________________ 보았는데 아주 좋아요.

3) 가 : 오늘 너무 피곤해요.

나 : 많이 (걷다) ________________서 피곤할 거예요.

새로 나온 말

자주 돕다

■ 잘 듣고 맞는 그림의 번호를 써 봅시다.

1. (　　　)

2. (　　　)

3. (　　　)

4. (　　　)

1) 

2) 

3) 

4) 

5) 

6) 

1. 호세가 아파서 학교에 못 왔습니다. 우리는 오늘 호세에게 가려고 합니다. 무엇을 준비해야 할지 친구들과 이야기해 봅시다.

보기

내가 카드를 준비할게.

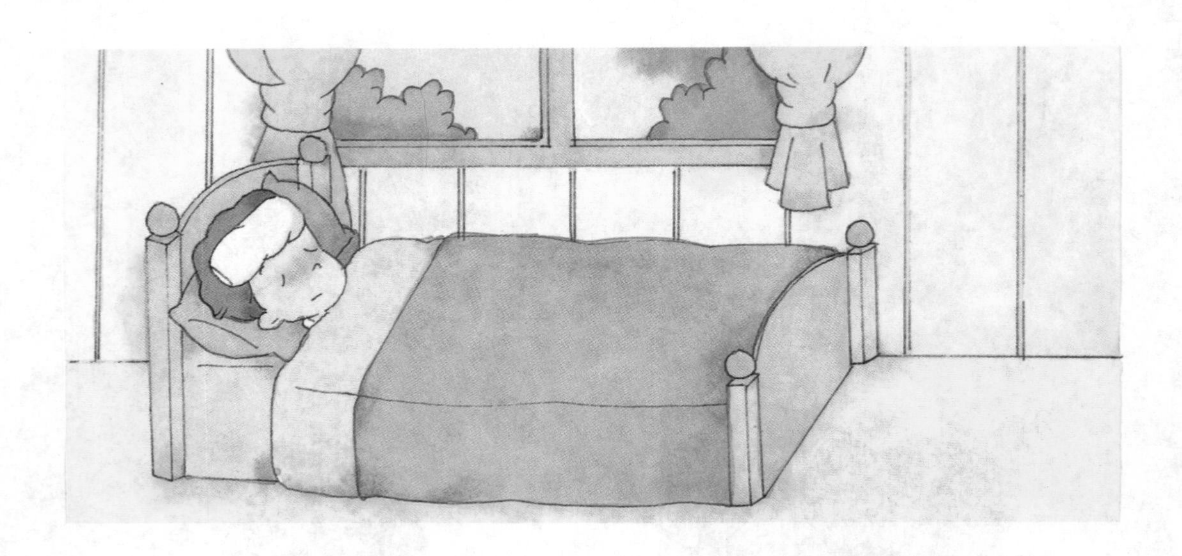

2. 친구와 사다리 게임을 해 봅시다.

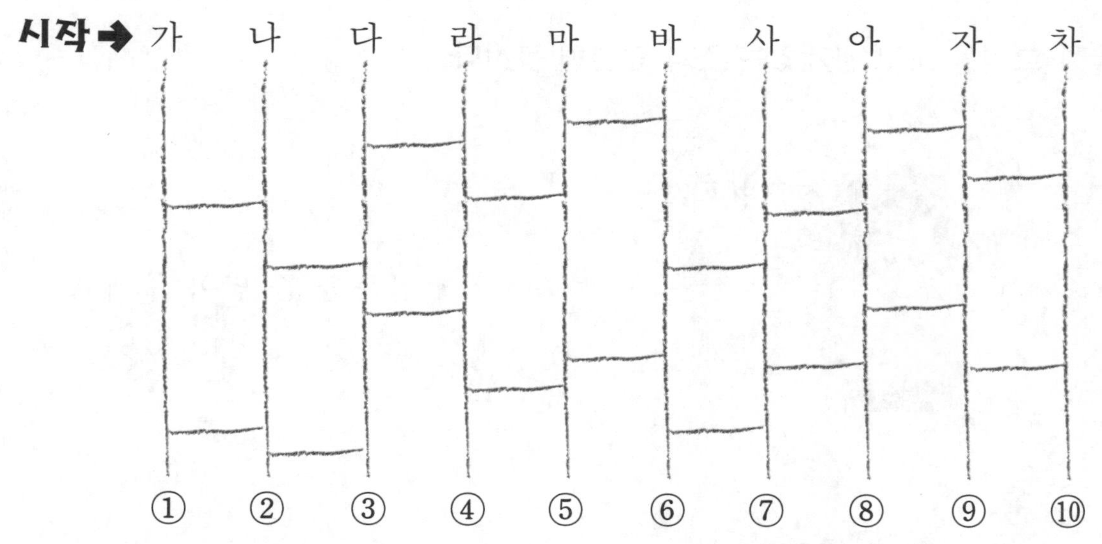

〈문제〉

① 시간이 있으면
② 시험이 어려우면
③ 돈이 없으면
④ 눈이 오면
⑤ 학교에 늦으면
⑥ 친구를 기다리는데 친구가 안 오면
⑦ 영화를 보는데 영화가 재미없으면
⑧ 배가 고프면
⑨ 학교에 안 가면
⑩ 숙제가 많으면
⑪ 머리가 아프면
⑫ 날씨가 더우면
⑬ 기분이 안 좋으면
⑭ 친구가 보고 싶으면
⑮ 피곤하면

※놀이 방법

1. 두 팀으로 나눈다.
2. 한 팀이 번호를 정해 주면 그 번호로부터 사다리를 타기 시작한다.
3. 맨 아래에 걸린 번호의 문제를 보고 '-(으)면'의 연결 문장을 만든다.
4. 정확하게 만들면 점수를 얻는다.

새로 나온 말

재미없다

1.그림을 보고 관계있는 것과 연결해 봅시다.

1)

• • 창문을 좀 닫아 주세요.

2)

• • 전화번호를 가르쳐 주세요.

3)

• • 빵을 사 주세요.

닫다 전화번호

2. '-아/어 주다'를 써서 (   ) 안의 말을 넣어 문장을 만들어 봅시다.

제 옆에는 저를 사랑해 주는 사람들이 많이 있습니다.

1) 우리 부모님은 아주 좋은 분입니다.

2) 아버지는 저에게 옷과 책을 (사다) ______________________.

3) 어머니는 저에게 맛있는 음식을 (만들다) ______________________.

4) 우리 형은 저와 잘 (놀다) ______________________.

5) 학교에 가면 선생님이 계십니다.

선생님은 저에게 공부를 (가르치다) ______________________.

6) 제 친구는 수학을 잘 합니다.

그래서 그 친구는 저의 숙제를 (돕다) ______________________.

저는 이 사람들을 모두 사랑합니다.

닫다　　전화번호　　사람들

■ 그림을 보고 '-아/어 주다'와 '-(으)ㄹ게요'를 사용하여 알맞게 써 봅시다.

1. 

가: 이것 좀 열어 줘.

나: 응, ______________________.

2. 

가: 엄마, ______________________.

나: 그래, 읽어 줄게.

3. 

가: ______________________.

나: 다음에 사 줄게.

새로 나온 말

열다

15
마리아는 울고 있습니다

1. 그림을 보고 어떤 표정을 짓고 있는지 말해 봅시다.

2. 지금 여러분은 무엇을 하고 있는지 말해 봅시다.

학습 목표

- 동작의 진행 표현하기
- 의지 표현하기(3)

호세의 일기

8월 19일 금요일

즐거운 여름학교가 끝났습니다. 우리는 같이 사진을 찍었습니다. 한국 무용 선생님이 사진을 찍어 주셨습니다.

웃고 있는 사람이 영애입니다. 바실리는 마리아를 보고 있습니다. 유진은 눈을 감았습니다. 나는 뒤를 보고 있습니다. 옥사나는 주스를 마시고, 마리아는 울고 있습니다.

나는 여름학교 친구들을 보고 싶을 것입니다.

새로 나온 말

-고 있다　　눈을 감다　　-(으)ㄹ 것이다

1. 영애는 웃**고 있**습니다.
   눈을 감**고 있**는 사람은 유진입니다.
2. 나는 여름학교 친구들을 보고 싶**을 것입니다**.
   여름방학에 여행을 **할 것입니다**.

1. 그림을 보고 1)과 같이 만들어 봅시다.

1)

가 : 마리아는 무엇을 하고 있습니까?

나 : 마리아는 지금 울고 있습니다.

2)

가 : 옥사나는 지금 무엇을 하고 있습니까?

나 : 옥사나는 지금 ______________________

______________________.

3)

가 : 지금 무엇을 하고 있습니까?

나 : 나는 지금 빵을 ______________________

______________________.

4)

가 : 호세는 지금 무엇을 하고 있습니까?

나 : ______________________________________.

2. 다음 문장을 1)과 같이 만들어 봅시다.

1) 가 : 도서관에 공부하러 갈 거예요.

나 : 도서관에 공부하러 갈 것입니다.

2) 가 : 오늘 점심에 냉면을 먹을 거예요.

나 : 오늘 점심에 ________________________.

3) 가 : 이번 토요일에 강아지를 살 거예요.

나 : ________________________.

4) 가 : 친구에게 태권도를 가르쳐 줄 거예요.

나 : ________________________.

■ 잘 듣고 맞는 그림에 표시해 봅시다.

1.

1) 

2) 

3) 

2.

1) 

2) 

3) 

3.

1) 

2) 

3) 

1. 그림을 보고 무엇을 하고 있는지 말해 봅시다.

보기

수영을 하고 있어요.

2. 바닷가에서 하고 싶은 일에 대해 써 봅시다.

나는 수영을 할 것입니다.

.

.

.

.

.

새로 나온 말

배 낚시 모래성 공

1. 읽어 봅시다.

나는 내일 멕시코에 갈 것입니다.
멕시코에 돌아가면 멕시코 음식을 많이 먹을 것입니다.
친구들을 만나서 태권도를 가르쳐 줄 것입니다. 우리 축구팀과 함께 축구도 할 것입니다.

나는 카자흐스탄에 가면 할머니 댁에 갈 것입니다.
할머니 댁에 가서 말을 탈 것입니다. 할머니는 맛있는 음식을 만들어 주실 것입니다. 나는 할머니가 만들어 주시는 음식을 좋아합니다.

2. 글을 읽고 맞으면 ○표, 틀리면 ×표를 해 봅시다.

1) 호세는 멕시코 음식을 만들 것입니다. (　　)

2) 호세는 멕시코에 가면 야구를 할 것입니다. (　　)

3) 바실리는 할머니 댁에 갈 것입니다. (　　)

4) 바실리는 어머니가 만들어 주시는 음식을 좋아합니다. (　　)

말　　야구

▣ 여름학교 운동회 그림입니다. 친구들이 무엇을 하고 있는지 써 봅시다.

호세는 축구를 하고 있습니다. 호세는 축구를 아주 좋아합니다.

유진은 아침을 안 먹어서 빵을 ______________________.

______________________.

______________________.

______________________.

______________________.

16

멕시코는 중국보다 멀어요

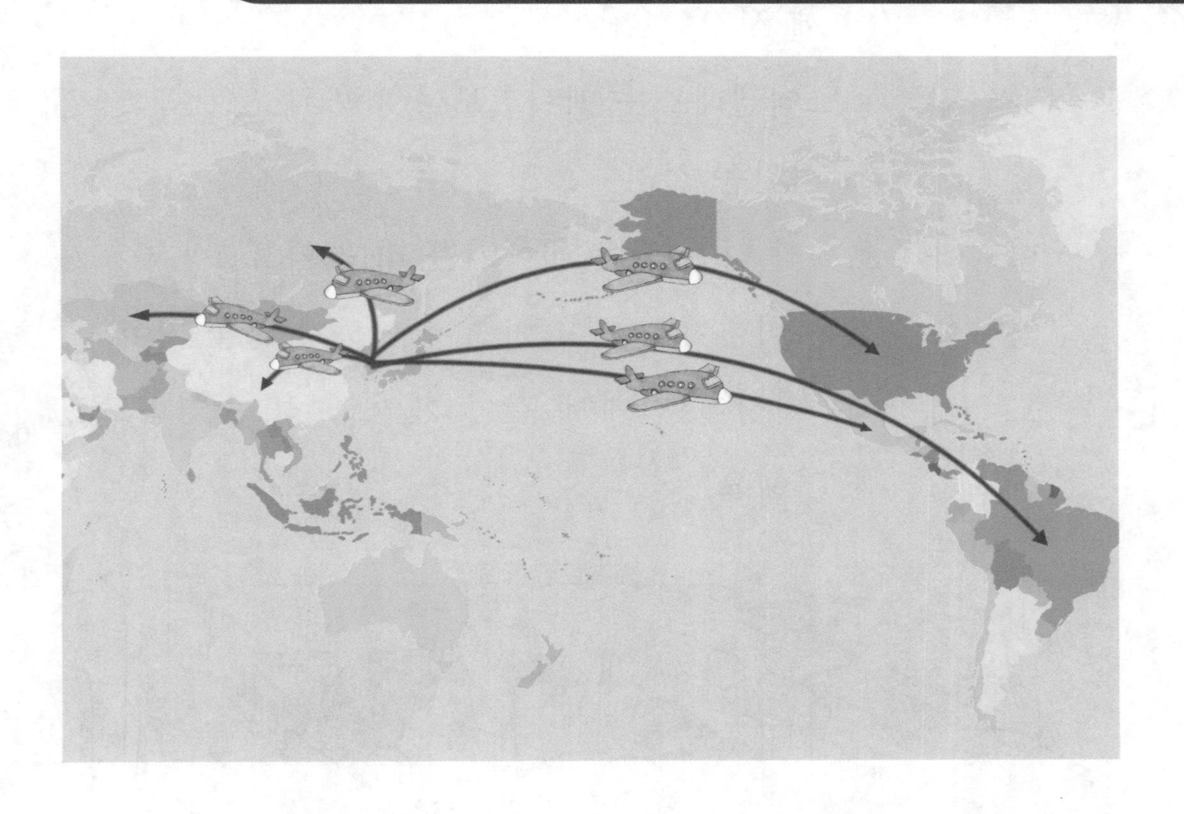

1. 여러분 나라에서 한국까지 얼마나 시간이 걸리는지 말해 봅시다.

2. 여러 교통수단을 이야기해 보고 무엇이 더 좋은지 말해 봅시다.

학습 목표

- 비교 표현하기
- 이동 시간 표현하기
- 이동 방법 표현하기

호　세 : 서울에서 중국까지 몇 시간 걸려요?

영　애 : 두 시간쯤 걸려.

호　세 : 아주 가깝군요. 멕시코는 중국보다 멀어요.
열 세 시간쯤 가야 해요.

유　진 : 로스엔젤레스는 멕시코보다 가까워.
열 시간쯤 걸려.

마리아 : 호세와 나는 같은 비행기를 타고 가요.

영　애 : 같은 비행기를 타고 가면 심심하지 않을 거야.

호　세 : 네. 비행기 안에서 같이 게임도 하고 영화도
볼 거예요.

로스엔젤레스　　걸리다　　심심하다

1. 멕시코**는** 중국**보다 (더)** 멀어요.
   중국**보다** 멕시코**가 (더)** 멀어요.
2. 호세와 나는 같은 비행기를 **타고 가요**.
   나는 학교에 걸**어(서) 가요**.
3. 서울**에서** 로스엔젤레스**까지** 열 시간**(이) 걸려요**.

1. 다음 그림을 보고 문장을 완성해 봅시다.

1)

수박이 사과보다 비싸요.

2)

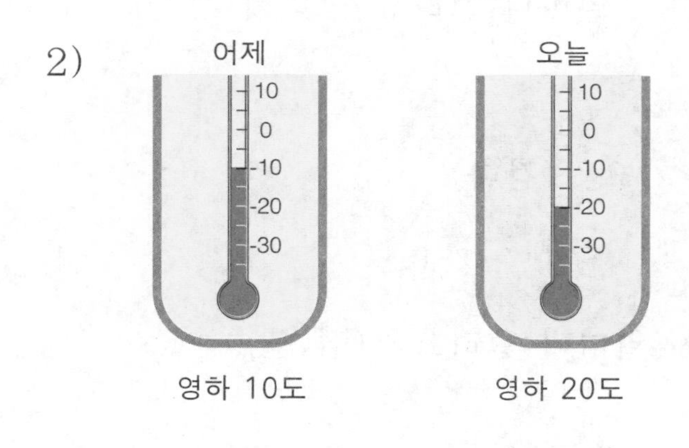

오늘이 ________________ 추워요.

3)

유진보다 ______________________________.

2. (   ) 안의 말을 넣어 문장을 만들어 봅시다.

1) 가 : 부산에 무엇을 타고 가요? (버스)

나 : 버스를 타고 가요.

가 : 서울에서 부산까지 얼마나 걸려요? (네 시간)

나 : 서울에서 부산까지 네 시간 걸려요.

2) 가 : 경주에 무엇을 타고 가요? (기차)

나 : ______________________________.

가 : 서울에서 경주까지 얼마나 걸려요? (다섯 시간)

나 : ______________________________.

3) 가 : 학교에 어떻게 가요? (걷다)

나 : ________________ 가요.

가 : 집에서 학교까지 얼마나 걸려요? (십 분)

나 : ______________________________.

1. 잘 듣고 맞는 그림에 표시해 봅시다.

1)

㉮

㉯

㉰

2)

㉮

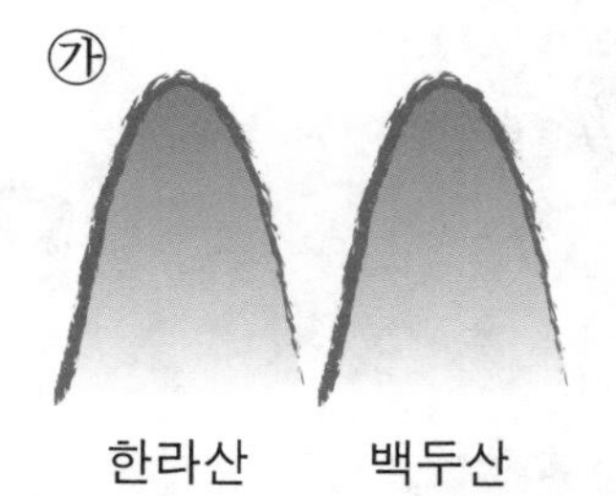

㉯

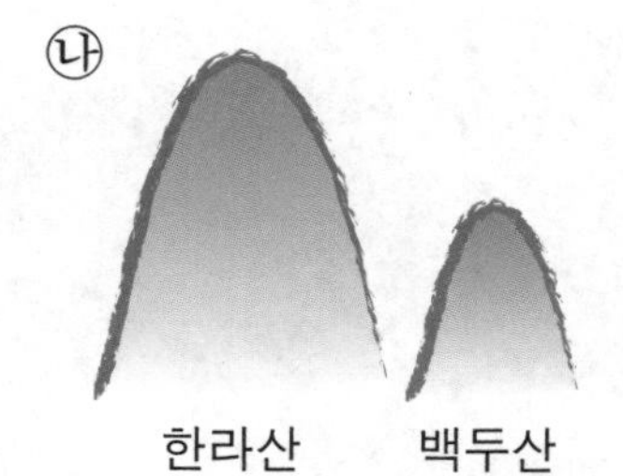

㉰

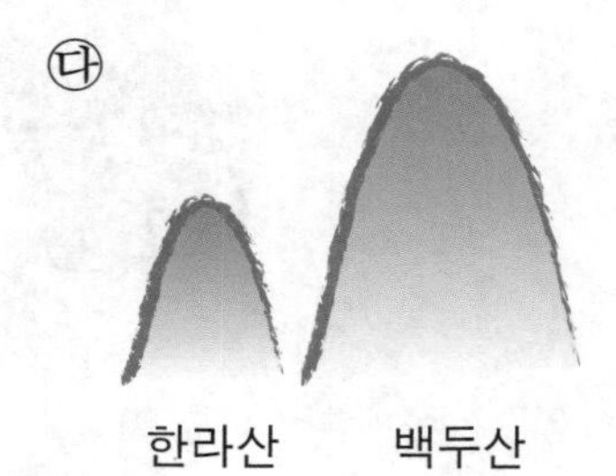

2. 잘 듣고 맞는 답을 골라 봅시다.

1) 1시간 30분　　2) 2시간 30분　　3) 3시간 30분

▣ 그림을 보고 1)과 같이 이야기해 봅시다.

1.

고양이보다 강아지가 (더) 예뻐요.

2.

2만원

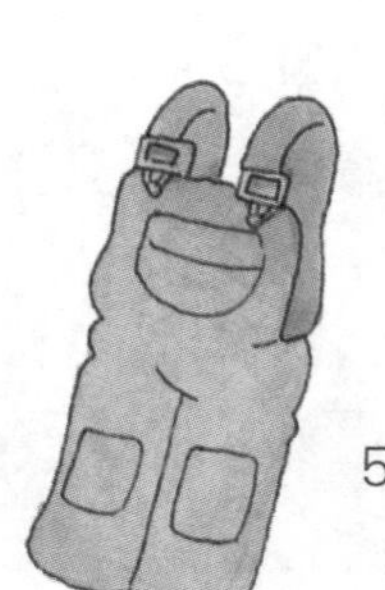

5만원

3.

비빔밥

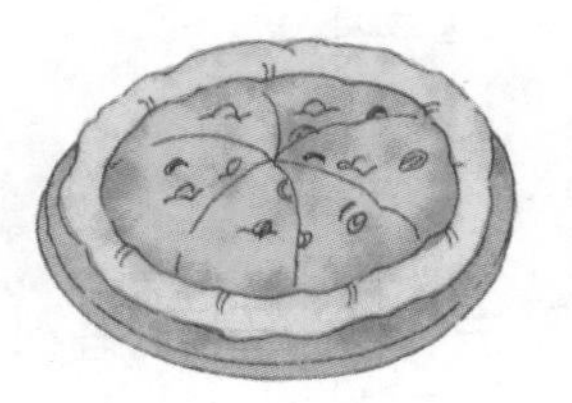

피자

4.

거북이

토끼

2. 앞에서 말한 것을 써 봅시다.

강아지가 고양이보다 (더) 좋아요.

______________________.

______________________.

______________________.

______________________.

______________________.

______________________.

새로 나온 말

고양이 거북이 토끼

1. 친구와 퍼즐 놀이를 해 봅시다.

1)	2)					9)	
				7)	8)		
3)	4)				6)		
	5)						
			10)	11)			
				12)			

가로 열쇠 ➡

1) 여기에서 공부를 합니다.

3) 이 안에 책과 연필이 있습니다.

5) (   )은 학교에서 공부를 합니다.

6) 우리에게 한국어를 가르쳐 주십니다.

7) 여기에서 수영을 할 수 있습니다.

9) 이것을 보면 시간을 알 수 있습니다.

10) 서울에 있는 강입니다.

12) 부모님은 어머니와 (   )입니다.

세로 열쇠 ⬇

2) 여기에서 한국어를 배웁니다.

4) (   )을 하면 학교에 가지 않습니다.

6) 친구의 생일에 이것을 줍니다.

8) 미국과 영국에서 쓰는 말입니다.

9) 여기에서 물건을 살 수 있습니다.

11) 고양이보다 (   )가 좋습니다.

▣ 다음 기차표를 읽고 써 봅시다.

기차표
서 울 → 경 주
10:00 → 15:00
8월 22일

기차표
서 울 → 대 전
08:30 → 10:30
8월 22일

1) 서울에서 경주까지 어떻게 가요?

______________________________.

2) 서울에서 경주까지 얼마나 걸려요?

______________________________.

3) 서울에서 대전까지 얼마나 걸려요?

______________________________.

4) 대전이 더 멀어요? 경주가 더 멀어요?

______________________________.

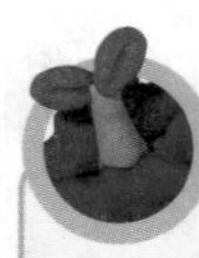

새로 나온 말

기차표　　대전

◉ 배운 것을 복습해 봅시다.

1. -(으)ㄹ 거예요

학교에 가요. ➡ 학교에 갈 거예요.

그 영화가 재미있어요. ➡ 그 영화가 재미있을 거예요.

동생이 집에 있을까요? ➡ 네, 집에 있을 거예요.

그 책이 어려울까요? ➡ 아니요, ______________.

호세가 여행을 좋아할까요? ➡ 네, ______________.

내일 날씨가 좋을까요?

➡ 아니요, ______________.

2. -부터 -까지

아홉 시부터 세 시까지 수업이 있어요.

몇 시까지 올 거예요? ➡ 저녁 6시까지 올 거예요.

어제 몇 시부터 잤어요? (10시) ➡ __________ 잤어요.

언제부터 태권도를 배웠어요? (7월)

➡ ______________.

은행은 몇 시부터 몇 시까지 해요? (9시 30분 ~ 4시 30분)

➡ ______________________________.

3. -아 / 어 주다

전화번호 좀 가르쳐 주세요.

아이스크림 좀 사 주세요.

책이 무거워요. (돕다)

좀 ______________.

김 선생님이 9시에 오실 거예요. (기다리다).

좀 ______________.

이 빵은 어떻게 만들어요? (가르치다.)

좀 ______________.

4. -(으)ㄹ게요

저는 엽서를 살게요.

저는 노래를 부를게요.

내일 등산을 가는데 무엇을 준비할까요?

➡ 저는 음료수를 ______________.

내일 몇 시까지 올 거예요?

➡ 아홉 시까지 ______________________ .

누가 노래할 거예요? ➡ 제가 ______________________ .

5. -(으)면

배가 아프다 ➡ 배가 아프면 병원에 갈 거예요.

날씨가 좋다 ➡ 날씨가 좋으면 바다에 갈 거예요.

(영화가 재미없다)

➡ ______________________면 컴퓨터 게임을 할 거예요.

(음식이 맛있다)

➡ ______________________면 ______________________ .

(일찍 일어나다)

➡ ______________________면 ______________________ .

6. 다음을 읽어 봅시다.

	-ㅂ/습니다	-지만	-고	-아/어요	-아/어서	-(으)니까
듣다	듣습니다	듣지만	듣고	들어요	들어서	들으니까
걷다	걷습니다	걷지만	걷고	걸어요	걸어서	걸으니까

음악을 듣습니다.	음악을 들어요.
길을 걷습니다.	길을 걸어요.

7. -고 있다

마리아가 웃어요. ➡ 마리아가 웃고 있어요.

옥사나가 전화를 걸어요. ➡ 옥사나가 전화를 걸고 있어요.

지금 뭐해요? (아이스크림을 먹다)

➡ 아이스크림을 ____________________.

지금 뭐해? (빵을 만들다)

➡ ____________________________.

호세는 지금 뭐해? (축구를 하다)

➡ ____________________________.

유진은 지금 뭐해? (노래를 부르다)

➡ __________________________________.

8. -(으)ㄹ 것입니다

이번 토요일에 떡볶이를 먹을 거예요.

➡ 이번 토요일에 떡볶이를 먹을 것입니다.

일요일에 수영을 할 거예요. ➔ 일요일에 수영을 할 것입니다.

우리는 생일 파티를 할 거예요.

➔ ______________________________.

여름방학에 가족과 같이 여행을 갈 거예요.

➔ ____.

9. -보다 (더)

오늘은 날씨가 어제보다 더 더워요.

이 영화가 저 영화보다 더 재미있어요.

(영애 : 150cm, 마리아 : 130cm)

영애가 마리아보다 ______________.

(사과 : 500원, 배 : 200원)

사과가 ______________________.

(비행기, 자동차)

______________________________________.

10. 다음을 잘 읽어 보세요. 그리고 친구와 같이 한 사람은 유진, 또 한 사람은 옥사나가 되어서 배운 모형을 이용하여 역할 놀이를 해 봅시다.

유진과 옥사나는 제주도 여행을 했습니다.

물음	유진	옥사나
어디에 갔어요?	한라산	바다
어떻게 갔어요?	비행기	기차 → 배
무엇을 먹었어요?	햄버거	비빔밥
⋮	⋮	⋮

보기

유진

유 진 : 제주도에 어떻게 갔어?

옥사나 : 배를 타고 갔어.

유 진 : 나는 비행기를 타고 갔어.
비행기가 배보다 더 빨라.

⋮

옥사나

4. 전래 동요

◉ 전래 동요 "여우야 여우야"를 배워 봅시다.

아이들 : 여우야 여우야 뭐하~니?

술 래 : 잠 잔~다.

아이들 : 잠꾸러~기

술 래 : 세수한~다.

아이들 : 멋쟁~이

술 래 : 밥 먹는~다.

아이들 : 무슨 반~찬

술 래 : 개구리 반~찬

아이들 : 죽었니? 살았니?

술 래 : 죽었다. / 살았다.

◉ "여우야 여우야"를 부르면서 전래 놀이를 해 봅시다.

놀이 설명

이 놀이는 술래잡기 놀이다. 1) 한 어린이가 술래가 되고, 2) 다른 어린이들은 술래로부터 조금 떨어진 곳에 손에 손을 잡고 줄지어 서서 처음 부분은 술래와 함께 합창을 하고, 다음은 어린이 모두와 술래가 돌아가며 부른다. 3) 끝부분에서 술래가 "살았다."라고 응답하면 술래를 피해 도망가야 하며, 붙잡히면 술래가 된다. 4) 그러나 "죽었다."라고 응답하면 오히려 도망가려고 움직인 사람이 술래가 된다.

부 록

듣기 자료

1 나는 등산을 좋아해

1. 나는 유진이야. 내 취미는 여행이야. 지금까지 여러 나라를 여행했어.
2. 저는 바실리예요. 저는 책을 아주 좋아해요. 집에서 항상 책을 읽어요.
3. 저는 호세예요. 축구를 아주 좋아합니다. 저는 축구 선수 펠레를 좋아해요.
4. 내 이름은 영애야. 내 취미는 등산이야. 주말에는 아빠와 함께 항상 산에 가.

2 저는 멕시코에서 왔어요

우리 가족은 아파트에 살아요. 우리 집은 7층에 있어요. 우리 아파트에는 외국 사람들이 많이 살아요. 3층에는 토마스 씨 가족이 살아요. 토마스 씨는 미국에서 왔어요. 토마스 씨는 컴퓨터 회사에 다닙니다. 6층에는 싱 씨 가족이 삽니다. 싱 씨 가족은 인도에서 왔어요.

3 우리는 같은 축구팀이야

이것은 우리 오빠의 결혼식 사진입니다. 키가 크고 눈이 작은 분이 우리 아버지입니다. 어머니는 오빠 옆에 계십니다. 어머니는 키가 작지만 목소리는 아주 큽니다. 우리 언니와 나는 같은 옷을 입었습니다. 언니는 조금 뚱뚱해서 요즘 다이어트를 합니다.

4 노래를 하면서 춤도 추었습니다

1. 가 : 마리아는 무슨 색을 좋아해?
   나 : 나는 초록색하고 빨간색을 좋아해.

2. 가 : 옥사나는 무슨 색을 싫어해?
   나 : 나는 검은색하고 하얀색을 싫어해.

3. 나는 어제 친구를 만났습니다.
   아이스크림을 먹으면서 이야기를 했습니다.
   또 우리는 공원에서 웃으면서 사진도 찍었습니다.

5 같이 축구장에 갈 수 있어요?

1. 가 : 내일 축구장에 가는데 무엇을 준비할 수 있어?
   나 : 나는 물하고 과자를 준비할 수 있어. 호세, 너는?
   가 : 나는 음료수를 준비할 수 있어. 빵도 준비할까?
   나 : 응. 내일 몇 시까지 올 수 있어?
   가 : 오전 10시까지 갈 수 있어.
   나 : 그럼 내일 봐.

2. 이것은 내가 다니는 여름학교 친구들 사진입니다.
   우리는 축구장에 가서 같이 사진을 찍었습니다.
   과자를 먹는 친구는 마리아입니다.
   음료수를 마시는 친구는 옥사나입니다.
   박수를 치는 친구는 유진입니다.

6 운동화를 바꾸고 싶어요

1. 나는 음악을 좋아해. 내 생일에는 CD를 선물로 받고 싶어.

2. 친구 생일 선물로 인형을 샀는데 마음에 안 들어. 친구는 책을 좋아하니까 책으로 바꾸려고 해.

3. 오늘은 날씨가 아주 더워요. 날씨가 더우니까 시원한 콜라를 마시고 싶어요. 주스는 마시고 싶지 않아요.

7 생일 파티가 있어서 갈 수 없어

1. 1) 가 : 김치를 먹을 수 있어요?
   나 : 네, 먹을 수 있어요.

   2) 가 : 한국말을 빨리 할 수 있어요?
   나 : 아니요, 빨리 못 해요.

   3) 가 : 내일 우리 집에 올 수 있어요?
   나 : 바빠서 갈 수 없어요.

2. 가 : 오늘 같이 백화점에 갈 수 있어요?
   나 : 미안하지만 못 가요.
   가 : 왜 못 가요?
   나 : 미국에서 친구가 와서 공항에 가야 해요.

8 언제 한국에 오실 거예요

1. 가 : 이번 주말에 뭘 할 거야?
   나 : 나는 공원에서 자전거를 탈 거야. 너는?
   가 : 나는 방에서 만화책을 볼 거야. 그리고 오후에는 친구를 만날 거야.
   나 : 친구하고 뭘 할 거야?
   나 : 같이 이야기를 하고 저녁도 먹을 거야.

2. 저는 옥사나인데 운동을 좋아합니다. 나이는 11살인데 오빠가 한 명 있고, 블라디보스토크에 삽니다. 여기는 서울이고 여름학교에 다녀요. 8월에 러시아로 갈 거예요.

9 내일은 마리아의 생일입니다

1. 가 : 방학에 무엇을 할 거예요?
   나 : 책도 읽고 여행도 갈 거예요.
   가 : 어디로 여행을 갈 거예요?
   나 : 멕시코로 여행을 가려고 해요.

2. 가 : 생일 파티가 재미있었어?
   나 : 네, 아주 재미있었어요.
   가 : 무엇을 하면서 놀았어?
   나 : 음식도 먹고 노래도 했어요. 친구들과 이야기도 많이 했어요.

10 경주에 가 봤는데 아주 좋았어

1. 가 : 부모님과 함께 경주에 가 봤는데 아주 좋았어.
   나 : 제주도는 가 봤는데 경주는 못 가 봤어. 경주는 뭐가 좋아?
   가 : 경주는 오래 된 역사 도시야. 한국 역사를 배울 수 있어.

2. 가 : 여름학교에 가 봤어?
   나 : 아니, 못 가봤어.
   가 : 한번 가 봐. 한국어도 배우고 한국 무용과 태권도도 배워.

3. 가 : 이 영화 봤어요?
   나 : 아니요, 아직 못 봤어요.
   가 : 한번 보세요. 무서운 영화인데 더운 날씨를 잊을 수 있어요.

11 부모님을 만나러 가려고 해요

1. 가 : 어디 가?
   나 : 공원에 가.
   가 : 공원에 왜 가? 자전거 타러 가?
   나 : 아니야, 친구를 만나러 가.

2. 가 : 부모님이 다음 주 토요일에 한국에 도착하시지?
   나 : 아니요, 이번 주 토요일에 오세요.
   가 : 언제 멕시코에 가시지?
   나 : 다음 주 금요일에 멕시코에 가실 거예요.

3. 가 : 지금 시간 있지?
   나 : 응, 왜?
   가 : 나와 같이 백화점에 갈 수 있어? 어제 이 가방을 샀는데 다른 색으로 바꾸고 싶어.
   나 : 좋아. 시간이 있으니까 같이 가.

12 서울은 정말 복잡하군요

가 : 여기가 인사동이에요.
나 : 사람이 아주 많군요.
가 : 네, 외국 사람도 많이 와요.
나 : 가게들이 아주 재미있군요.
가 : 네, 천천히 구경하세요. 시간이 많으니까요.
나 : 여기에 한국 인형 가게도 있어요?
가 : 저기 있어요. 한국 인형을 살 거예요?
나 : 네. 어머니가 한국 인형을 좋아하시니까요.
가 : 그럼 저 가게로 가요.

13 배가 아파요

1. 1) 가 : 백화점이지요?
나 : 네, 그렇습니다.
가 : 오늘 몇 시까지 하세요?
나 : 오늘 7시 반까지 합니다.
2) 가 : 병원이지요?
나 : 네, 그렇습니다.
가 : 언제부터 점심 시간이지요?
가 : 12시 30분부터 2시까지입니다.
2. 가 : 여보세요. 극장이지요?
나 : 네, 그렇습니다.
가 : 요즘 '아기 공룡' 이라는 영화를 해요?
나 : '아기 공룡' 은 지금 안 해요.
가 : 그러면 언제부터 해요?
나 : 내일부터 해요.

14 내가 같이 가 줄게

1. 가 : 눈이 오면 어떻게 할 거예요?
   나 : 방에서 잘 거예요.
2. 가 : 머리가 아프면 어떻게 할 거예요?
   나 : 약을 먹을 거예요.
3. 가 : 돈이 많이 있으면 무엇을 할 거예요?
   나 : 여행을 갈 거예요.
4. 가 : 선생님이 학교에 안 오시면 어떻게 할 거예요?
   나 : 선생님께 전화할 거예요.

15 마리아는 울고 있습니다

1. 가 : 지금 무엇을 하고 있어요?
   나 : 피자를 먹고 있어요.
2. 가 : 요즘 무엇을 하고 있어요?
   나 : 수영을 배우고 있어요.
3. 나는 유진입니다. 강아지가 지금 자고 있습니다. 엄마가 내 생일에 주신 강아지입니다. 강아지 이름은 송이입니다. 내일 나는 송이와 같이 공원에 갈 것입니다.

16 멕시코는 중국보다 멀어요

1. 1) 가 : 제주도에 어떻게 가요?
      나 : 배를 타고 갈 거예요.
   2) 가 : 백두산이 더 높아요? 한라산이 더 높아요?
      나 : 백두산이 더 높아요.
2. 가 : 서울에서 베이징까지 얼마나 걸려요?
   나 : 두 시간 반쯤 걸려요.

찾아보기 1 새로 나온 말

ㄱ

ㄴ

ㄷ

문 형

찾아보기 2 문법 및 표현

1 나는 등산을 좋아해

나는 등산을 좋아**해**.

내 **취미는** 등산**이야**.

그러면 일요일에 같이 산에 갈까요?

이것은 **뭐**예요?

2 저는 멕시코에서 왔어요

브라질**에서 왔어요**.

저는 멕시코시티**에 살아요**.

나는 한국 인형을 **만듭**니다.

3 우리는 같은 축구팀이야

나는 따뜻**한** 날씨를 좋아해.

친절하고 아름다운 분이야.

4 노래를 하면서 춤도 추었습니다

노란색 저고리와 **파란색** 치마를 입었습니다.

우리는 음식을 먹**으면서** 이야기를 했습니다.

옥사나는 러시아 노래를 **불렀**습니다.

5 같이 축구장에 갈 수 있어요

주말에 같이 축구장에 **갈 수 있어요**?

아버지가 다니**는** 회사는 시내에 있어요.

6 운동화를 바꾸고 싶어요

운동화를 샀**는데** 너무 커요.

운동화를 하나 사**고 싶어요**.

파란색 운동화**를** 노란색 운동화**로 바꿉니다**.

7 생일 파티가 있어서 갈 수 없어

미안하지만 **못** 가.

내일은 약속이 있**어서** 바빠.

아니, 바빠서 **갈 수 없어**.

8 언제 한국에 오실 거예요

주말에 무엇을 **할 거예요**?

오늘은 일요일**인데** 아주 바빠요.

9 내일은 마리아의 생일입니다

우리는 노래**도** 부르**고** 춤**도 춥니다**.

마리아에게 **줄** 카드를 만들었습니다.

10 경주에 가 봤는데 아주 좋았어

김치를 먹**어 보았어요**.

이게 뭐예요?

시장에서 **뭘** 샀어요?

11 부모님을 만나러 가려고 해요

부모님을 만나러 **갑니다**.

오늘이 무슨 요일**이지요**?
저 분이 선생님**이지요**?

12 서울은 정말 복잡하군요

날씨가 아주 좋**군요**.
지하철을 타세요. 지하철이 빠르**니까요**.

13 배가 아파요

비가 **올 거예요**.
7월 20일**부터** 8월 22일**까지** 방학이에요.

14 내가 같이 가 줄게

좀 가르쳐 **주세요**.
제가 **할게요**.
비가 오**면** 집에서 텔레비전을 볼 거예요.
나는 음악을 자주 **들어요**.

15 마리아는 울고 있습니다

영애는 웃**고 있습니다**.
여름방학에 여행을 **할 것입니다**.

16 멕시코는 중국보다 멀어요

멕시코는 중국**보다 더** 멀어요.
서울**에서** 중국까지 몇 시간 걸려요?
호세와 나는 같은 비행기**를 타고 가요**.
로스엔젤레스까지 열 시간**이 걸려요**.